LA RENARDE ET LE MAL PEIGNÉ

PAULINE JULIEN
GÉRALD GODIN

La renarde
et le mal peigné

Fragments de correspondance amoureuse
1962-1993

LEMÉAC

Couverture : Gianni Caccia
Photographie : collection personnelle de Pauline Julien, à Majorque
vers 1967. D.R.

*Leméac Éditeur reconnaît l'aide financière du gouvernement du Canada
par l'entremise du Programme d'aide au développement de l'industrie de
l'édition (PADIÉ) pour ses activités d'édition et remercie le Conseil des
arts du Canada, la Société de développement des entreprises culturelles
du Québec (SODEC) et le Programme de crédit d'impôt pour l'édition de
livres du Québec (Gestion SODEC) du soutien accordé à son programme
de publication.*

ISBN 978-2-7609-5142-6

© Copyright Ottawa 2009 par Leméac Éditeur
4609, rue d'Iberville, 1er étage, Montréal (Québec) H2H 2L9
Dépôt légal – Bibliothèque et Archives nationales du Québec, 2009

Imprimé au Canada

AVANT-PROPOS

Dans un monde idéal, la présentation de ces lettres d'amour entre Pauline Julien et Gérald Godin aurait fait appel à un poète, un graveur, à la rigueur un sociologue. Mais tous ces gens merveilleux sont morts ou ont choisi de se taire. Comme l'éditeur insistait, que c'était mon projet après tout, je n'ai pas d'autre choix que de me jeter à l'eau. Reste que je suis assez mal équipée pour faire cet avant-propos. Les témoignages des enfants d'artistes sont souvent larmoyants ou sans grand intérêt et j'ai peu d'espoir de renouveler le genre...

Donc, ces lettres. Elles font partie des fonds de succession de Pauline Julien (1928-1998) et de Gérald Godin (1938-1994), déposés aux Archives nationales du Québec. À la mort de Pauline, je les avais mises sous scellé pour cinquante ans sans même les regarder, trop bouleversée pour imaginer que d'autres allaient farfouiller dans leur intimité. Et puis cela a fait dix ans en 2008 que Pauline est morte. Lors de cet anniversaire, j'ai pris subitement conscience que si je ne faisais rien, quarante autres années allaient passer qui risqueraient de précipiter ces lettres dans l'oubli, les siennes comme celles de Gérald. Je suis donc allée consulter le dépôt aux Archives, rue Viger à Montréal. Les lettres étaient bien là, entre les intercalaires de papier sans acide, et j'ai commencé ma lecture, un peu gênée par cette intrusion dans leur vie où je retrouvais également quelques brèves allusions à notre enfance, mon frère et moi. Mais mon trouble s'est vite effacé devant la vivacité de l'écriture – pour Gérald, on s'en doutait avec son passé de journaliste et de poète; mais je découvrais une autre Pauline dans ces textes enfouis, moins freinée par le souci de bien écrire qui me semble avoir muselé sa parole des derniers livres – évidemment, on est dans le domaine de la correspondance destinée à l'aimé, sans censure, sans ratures, sans ordi et sans repentir. Avec les mots-cris et la chair qui tremble.

Disons aussi qu'il n'y a pas eu unanimité quand j'ai annoncé autour de moi ce projet de publication, mais je tenais malgré tout à ce qu'il se fasse pour que sa charge d'amour, pleine de bataille, de désir, de belle impudeur, soit transmise. J'espère que ce geste ne blessera personne, puisqu'il est fait par amour lui aussi, et non par voyeurisme ou tout ce qu'on pourrait imaginer.

On s'est toujours beaucoup écrit dans la famille, à la main et à la machine – ce dont je fus personnellement vexée au début par son aspect impersonnel. Puis j'appris à reconnaître la calligraphie maternelle dans la frappe nerveuse de la petite Olivetti, ses ratures en xxx, son impression profonde dans le papier oignon dont ma mère usait abondamment pour les envois par avion. Les voyages sont propices à l'écriture, et Pauline voyageait beaucoup pour son métier et pour le plaisir. Grands voyages, petits voyages, elle partait souvent, et nous avons été élevés à distance avec des lettres qui nous ont servi de cordon ombilical pour patienter jusqu'à ses retours, pleins de cadeaux et de fêtes. De France surtout, de Suisse et de Belgique beaucoup, de Pologne, de Russie, d'Afrique, de Cuba, du Mexique, de Thaïlande, d'Angleterre… Mais aussi de Percé, de Québec, de Sherbrooke, de Sainte-Adèle, de Trois-Rivières, de Hull, de Manicouagan…

Dans la galerie des liens d'amour tricotés serré, les amis ne furent jamais en reste et Pauline assurait une correspondance fidèle et intensive, pleine d'affection, de soutien, de réflexions à ses amitiés éparpillées, les Scrive, Alan Glass, Christiane Zham, Brigitte Sauriol, Fabienne Guay…

Entre eux deux, pas étonnant que la lettre soit un rituel obligé, même lorsqu'ils sont dans la même ville. Un mot griffonné, à défaut d'une lettre, devient prétexte à l'aveu. C'est Gérald – bien que follement amoureux – qui choisit le médium en écrivant dès les débuts de leur rencontre : « Il ne faut pas se téléphoner… » C'est un pur, un militant. « Le travail est la priorité. » Après la pause, on retourne au front, et Pauline est dévastée par l'intransigeance de son amant de vingt-deux ans !

Dans ma recherche pour composer ce recueil, je disposais des cartons de Pauline aux Archives, riches mais incomplets. Et puis j'ai fait une découverte, quasiment archéologique… En fouillant, dans une chemise – rouge bien sûr – sous mon bureau (!), j'ai trouvé la suite du trésor : d'autres lettres de Gérald dont j'ignorais l'existence. Le nouveau fonds s'est avéré aussi passionnant avec des lettres des années soixante où le jeune journaliste se révèle sage, étonnamment solide et fou à la fois, et où il soutient la chanteuse dans ses doutes et l'aime éperdument. Cet apport substantiel nourrit le recueil de correspondance entre Pauline et Gérald par tout le contexte de la Révolution tranquille qui est livré à travers les yeux de Gérald politique, social, culturel… Un passage bouillonnant de l'Histoire du Québec.

En fin de recueil, quelque trente ans plus tard, voilà finalement les lettres de Gérald de la fin des années quatre-vingt. Gérald a eu sa première opération au cerveau, il continue de faire de la politique et écrit toujours. Tout a mûri dans leurs rapports. La vie a soudé ces deux-là malgré la maladie, les trahisons… Maintenant, c'est lui qui envoie des mots éperdus à sa voyageuse infatigable, son petit fennec lui fait tourner la tête comme jamais. Et dans ses lettres, Gérald évoque pudiquement la mort qui se profile. Avec toute la confiance envers celle qui sera son rempart.

Voilà.

Au fil de ces lettres se dessine un dialogue amoureux entre deux êtres qui se sont aimés follement durant plus de trente ans. Un dialogue qui tourne autour du mystère de l'amour, le questionne et nous le renvoie en miroir. Puisse-t-il les garder en notre mémoire longtemps.

PASCALE GALIPEAU
Juin 2009

MOT DE L'ÉDITEUR

Pour les besoins de cette édition, il a fallu ajuster les modes d'une écriture pratiquée à vif par les deux correspondants ; ainsi ponctuation, datation, coquilles habituelles ont été corrigées pour faciliter la lecture, tout en conservant les vives envolées de l'artiste de scène et les brillances du poète. Puisque quelques lettres de Gérald Godin et la majorité de celles de Pauline Julien étaient non datées, elles ont été ordonnées au meilleur de notre connaissance selon la chronologie la plus vraisemblable de leurs lignes de vie ; à cet égard, merci à André Gervais et, surtout, à Louise Desjardins pour ses recherches perspicaces et son œil avisé, elle qui a signé en 1999 la biographie de Pauline Julien intitulée *La vie à mort*, chez Leméac. Quelques notes informatives, préparées par P. G., figurent en fin de volume.

[Mars 1962]

Bonsoir

Je rentre, assez tard. J'ai envie de vous appeler – mais le téléphone c'est presque plus froid qu'une lettre, à la longue – enfin c'est autre chose – l'immédiat sans sens ou presque. «Je t'embrasse.» «Je t'aime bien»... *(sic)*

Après la répétition toute la journée, studio, le bistrot. Germain, sa tête très sympathique. Un verre deux trois de blanc sec – et puis tranquillement il s'endort – ça le reposera deux ou trois heures.

Comment allez-vous,

doux doux doux ami...

Je vous ai dit tant de fois tant de choses. Mon stylo a perdu le nord – il a chu par terre. C'est dommage, je l'aimais beaucoup, peut-être un jour pourrai-je le rééquilibrer dans son axe.

Chaque soir je pense – ma vie, sa vie. Mais le retrouver le soir, la nuit – et cet enlacement infini, heureux, qui ne tient pas à nos corps ou à notre alliance du moment seulement – il me semble – mais à cette entente profonde.

Les mots les mots ne valent rien, c'est la répétition, la confirmation par le temps et l'acte qui est valable.

Sinon...

La vie – une heure – deux heures jusqu'à 23 heures et 59 secondes... et puis une heure – deux heures.

Bonsoir bel ami doux.

Montréal ne fut pas perdu, le ski, le théâtre, les grands dîners – une connaissance lente.

Ne divaguons pas.

Qu'est-ce que l'amour
Et je vous regarde.

Pauline

***

[2 avril 1962]

Saluts,

Depuis le temps que je la prépare cette maudite lettre, elle devrait être profonde, lyrique, spirituelle, éblouissante, classique, racée, frelatée un brin (pour la galerie) – en un mot tout le portrait de votre humble serviteur.

Or elle ne sera peut-être que prétentieuse, frelatée beaucoup, insupportable, pontifiante, bête, stupide, un peu conne, trifluvienne et provinciale par surcroît – en un mot tout le portrait de votre modeste serviteur.

Et pendant que je dis ce que la lettre sera ou ne sera pas (*Hamlet*, acte I, scène XVII), je la pousse devant moi, je m'empêche de la commettre, je retarde l'échéance de la rencontre entre elle et moi (il s'agit toujours de la lettre), je reste éloigné du vif du sujet, je ne plonge pas dans la réalité.

Je pourrais vous dire ce que vous savez déjà, mais je préfère flotter *same place* au-dessus de la terre – jouer dans les mots, ces nuages, ces matelas.

La «furia francese», c'est vous.

Un jour, je verrai clair dans tout cela. Je ferai la part des choses et comprendrai même peut-être toutes les choses si clairement que je pourrai relier tout cela à quelque mythologie gréco-latine dans laquelle vous seriez Charon et moi la barque sur le Styx ou vice-versa, tour à tour l'un à l'autre, nautonier d'une chaloupe verte et sans rames sur le fleuve noir de ces jours où à la suite nous sommes et nous ne sommes pas ensemble.

Pour le moment, le Styx coule entre les falaises de cette structure rationnelle que je veux donner à ma vie – ou plutôt que j'ai donnée à ma vie.

Attendez-moi. Sur un signe de moi, j'agirai, au jour et au moment qui me semblera propice – pour l'instant, je suis un marin, un circumnavigateur explorant ceci et cela et vous revenant comme Ulysse, quand les vents sont favorables à nos amours.

Et voilà – jugez vous-même dans quelle catégorie, des deux mentionnées au début, vous placerez ces cartons dans les rayons de votre littéracothèque.

Saluts et embrassements
Gérald

***

[17 avril 1962]

Moi aussi il me semble que je répugne à vous écrire, et quoi faire d'autre – quand j'ai des millions de fourmis par le cœur, la tête et le corps. J'attendais votre lettre avec une impatience folle. Pourquoi ? Qu'en attendais-je – rien de plus que vous ne pouviez écrire, je le sais bien. Je n'imagine rien et pourtant elle est là ce matin, mercredi seulement, mon cœur n'est pas calmé – elle est belle – elle me fait un pincement aussi. Je vous écris au lieu de pleurer une larme ou deux – très douces – un peu brûlantes.

Je ne pense à rien – à quoi puis-je rêver ou construire – mais c'est ce fichu instinct au fond du cœur – et voilà que votre lettre est là, ronde, dure, belle et bien fermée en elle-même.

Et c'est fini.

Tout est possible et rien – à quoi servirait une petite fissure où pouvoir se glisser, puisque rien ne semble possible.

Hier chez Claire[1] (une amie), la Radio-Cuba – ce matin le silence, puisque sans radio, et la télé ne fonctionne pas. La Bombe nous tombera-t-elle dessus ? Au fond je l'avoue, je m'en fiche un peu – au fond au fond au fond.

Comment est-il possible d'être si près de vous – dans vos bras et si bien – puis à 100 milles, et vous voilà si loin. Puisque l'on doit se dire que rien n'est possible.

Pourquoi ne croyez-vous pas que l'on puisse être très souvent heureux – toujours heureux.

Tahiti – vous – cet îlot de deux jours – une joie parfaite, merci de m'avoir écrit. C'est encore et déjà beaucoup. C'est aussi vous – et je ne me lasse point. J'attends. J'essaie d'attendre patiemment.

Notre photo est là ! – dans le train. J'ai eu confiance que vous l'ayez déposée avec les livres. Je l'ai trouvée à Montréal, en rangeant le tout.

Je vous appellerai quand ce sera trop lourd.

 La coiffeuse hier a descendu mes cheveux. Pascale dit que c'est très beau. Peut-être aussi trouverez-vous cela très doux.

De loin je ne peux pas, mais à vos côtés je suis sûre que nous n'aurions qu'à nous regarder pour avoir ce rire heureux.

Pauline

Je pourrais dire et répéter tant de choses.
Les gestes d'amour seuls, calmes, ne lassent pas.
Sachez que je me veux à mieux vivre, en pensant à vous.

***

[Paris, 17 avril 1962]

Saluts, j'ai téléphoné à Françoise[2] – la verrai dimanche après-midi – *Estoy muy fatigado*. Je vous attends le 20. Ai touché votre lettre hier. C'est bien en maudit, ce disque et ce prix et ce bout de fleur. Je suis en crisse contre l'univers entier. Nous sommes ici (à l'Université) 120 et tellement de confusion, de pesanteur, de difficulté de clarification, c'est à se tuer. Je n'aime pas les groupes. Je rêve d'une mitraillette. Je suis en crisse mais au fond, singulièrement heureux. Ça doit être de la nervosité. Aujourd'hui ça va mieux.

Venez à Paris.
[Gérald]

⁂

[Paris, mai 1962]

Saluts – je passe le mois complet à Paris. J'ai trop de travail – on verra 45 spectacles – on commence à 10 heures a.m. et on finit à minuit. Paris est décadent, mais on y trouve et on y voit n'importe quoi, tout ce que l'on veut. Je téléphone à Françoise dimanche. On s'est saoulé la gueule hier au beaujolais – c'était merveilleux.

Saluts à toi,
Gérald

⁂

[Mai 1962]

Votre carte est là, ce lundi matin, comme un rayon de soleil, et pour la première fois depuis longtemps tout Montréal est inondé.
Bonjour
— Garçon, deux blancs secs, deux kummels.
Mais je vous regarde à travers, ou au travers – les deux à la fois – du miroir, et vous êtes très loin

et tout près à la fois. Et de cette façon je tiens en respect… la sentimentalité, et le reste…

Ce pétale vient d'un disque, qui est enfin là – et très bon je crois – d'un prix, comme la meilleure diseuse au Congrès du spectacle – et de moi de l'autre côté du miroir…

Vos articles sont là présents et inquiétants et les «cantos» aussi. Tout pareils à vous. Soyez heureux à Paris. Je vous espère moins nerveux une fois la fatigue un peu amortie. Le billet est retenu pour le 20 au soir. Après le Music-Hall… Irai-je… irai-je pas… tout est possible et impossible.

Que dites-vous maintenant…

Coule la Seine… et je mords dedans.

Françoise a-t-elle toujours ses yeux bleus… et vous votre barbe rousse ?

Six heures… et c'est le sec Montréal. Six heures… et c'est peut-être la trop pleine abondance… qui peut faire peur… la tour Eiffel.

Bien calée dans mon fauteuil, je vous regarde.

Il était une fois… une reine… ou qu'on appelait telle…

[Pauline]

**

[Paris, 27 mai 1962]

Saluts,

La gueule des Paradis artificiels, ce que m'est ce Paris où je m'essouffle à plaisir. Je vous ai

attendue en vain, tous ces jours. Je rentre sous peu
– à bientôt.

«Encore un printemps de passé.
Je songe à ce qu'il eut de tendre.
Adieu saison qui finissez
Vous nous reviendrez aussi tendre.»

C'est d'Apollinaire

Saluts
Gérald

* * *

[Mai 1962]

Ben vrai… ben oui… ben non…
Et c'est bien tant pis pour moi.
Ah! on est jeunes quoi…
Alors j'ai l'impression d'être partout, partout, à
Paris… avec vous… sans vous…
Et puis chrissssss, je n'ai plus d'argent, ça travaille
mal, bon Dieu, comme dirait Miron.

Ah le beaujolais… ah française… ah… votre
pudeur, et on lâche tout… et on lâche rien… quelles
sont les épées… ou les fleurs au bout du chemin…
ou sur ma tête qui pendent.
J'aimerais que vous alliez dans un Monoprix…
celui de la rue de Rennes près de Montparnasse pour
un maillot de bain pour Nicolas 7 ans… court…
court… et des chemises-carton pour les chansons à

10 francs anciens chacune, des bleues, des jaunes, des rouges, et peut-être à la pharmacie du coin cette brosse à dents en soies de sanglier. C'est pas joli ça !

Danielle[3] n'est plus là… finis les cours… la grande Vie…

Y a un petit bateau à voile qui s'ennuie quelque part, et qui se balance dans le soleil.

Les «premières» deviennent beaucoup moins drôles sans toi… même un Feydeau… et pourtant Hoffman et Dalmain[4], quel œil noir… s'y démènent avec beaucoup de talent, voire plus.

Il me semble que je vous attends pour aller voir Pirandello.

Vous me direz il ne faut jamais attendre..

Ouf… le feu, je flambe, je brûle et je me consume.

Saluts aussi
Saluts à toi
mais je t'embrasse
Pauline

Et le grand, le bel, le cher ami Marcel[5] ?

————

Il est six heures du matin ! le style peut-être n'est pas encore éveillé.

On me téléphone… à 21 h, heure de Paris, dimanche sur 25m60 et 17m58, il paraît qu'on va jouer «mon» disque.

***

[*Circa* juin 1962]

«J'étais un grand bateau
descendant la Garonne
chargé de contrebande
et bourré d'Espagnols»

Hum. Quelle perspective.

Gérald je vous adore. Mais vous avez une saleté de caractère.

Ne vous surprenez pas. Je lis Salinger[6] et j'épouse le style… *of the catcher*. J'épouse, Dieu que j'épouse bien, voilà pourquoi peut-être on dit «l'INTERPRÈTE N° 1»

Ils n'ont pas compris. C'est parce que j'épouse-pouse.

Par exemple dans votre lit – tout au long en m'étirant en long et en profondeur j'épouse en lianes – en serpents – en ronds en creux – en esprit vous… *[feuillet déchiré]* … votre vieux corps. – (style Salinger) et ça me met knock out.

Et c'est là où vous ne me suivez pas, dans le lit oui. On se suit bien, mais après – avec vous on a l'impression ni vu ni connu – ça me tue (J.S.) – puisque je comprends – et que je suis d'accord – la preuve, ce petit bout de lettre, un jour écrit après l'autre de la semaine dernière. Mais vous aussi morbleu – on ne peut pas toujours être brillant et fort. Avec vous quand on ne l'est plus, on a l'impression qu'on ne l'a jamais été, et on se sent comme une vieille dent jetée dans le sable – juste juste un petit peu cajolée…

«Puisque les voyages

forment la jeunesse
t'en fais pas mon ami
j'vieillirai…»

Et hop – deux heures d'avion, craché le feu, et nous voilà à Chicoutimi. Je travaille bien – mais eux aussi. Me voilà de retour dans le vieil esprit français. Une grande immense chambre, servie au lit – des sourires, des prévenances, du ski en perspective, des promenades. Ils vont sûrement m'offrir des fleurs!!

Je n'épouse personne, parce que ça c'est le miracle de cette rencontre entre nous. Alors je mets mes gants aux pieds – car j'en ai marre de les poser en alternance sur mes cuisses pour les réchauffer et je vous bavarde – bavarde… sans arrêt. Mais ça se bousculait trop – et je vous écris.

Il n'est pas 4 h du matin… il est midi – j'ai redormi après une interview à 9 h ce matin. Je m'étire comme un chat. Je vais aller voir le grand soleil – le froid sec – et tous ces gens gentils, ici et dans la ville. Je n'ai pas dit «tous ces hommes gentils…» parce qu'il y a aussi des femmes gentilles – et je ne veux pas que vous ayez des pincements au cœur. Je ne m'étire pas ni n'épouse – mais je me laisse offrir des fleurs.

rue Hart.
        Attrape-cœurs
cette saleté de vieux cœur.
À force de vivre dans cette rue.
il lui avait donné son cœur en
français… je vous passerai le
mien de temps en temps… afin que

votre vieux corps (J.S.) ne bringuebale
pas trop.

Old Pauline

***

[Fin juin 1962]

Lundi soir
Gérald,

Si je t'avais écrit hier soir sur le train – il y aurait
cette atmosphère de départ la nuit – les bruits de ce
train lent qui roule. Mais depuis 5 h ce matin lundi,
il y a une angoisse indécise qui me tenaille. Ce soir
chez les Villeneuve[7] et c'est pourtant Percé. Percé
qui est beau. Qui a le cri des mouettes, le brouillard
puis le soleil, le rocher – et cette angoisse car je me
sens dépendante de tout et je n'arrive pas à en sortir
– cela ne dépend pas de moi. Un tel immense besoin
d'être aimée pour moi – d'être rassurée – toutes mes
paroles mes conversations sont forcées et je fuis je
fuis. Par bribes je m'échappe, mais sans trouver un
port qui me rassure, qui m'attache. J'essaie de lire
– ai terminé *La Comédie*. Triste, réaliste, tournée
aussi sur soi. – Le *Léonard de Vinci* est écrit avec
une emphase terrible – impossible à lire.

Demain je demanderai à Kanto[8] des bouquins.

———

Mercredi

Ceci n'est peut-être pas du genre de lettre que tu
aimes – mais tout de même envie de te parler. Percé a

quand même ces innombrables couleurs – les milliers de cris d'oiseaux, et les parfums, les brouillards. On musarde on flâne – bain de mer qui glace.

Les centaines de milles qui nous séparent me donnent l'impression qu'il y a des années que je ne t'ai vu – et c'est vrai toi, qu'est-ce que tu ressens? C'est étrange. J'ai commencé un Blaise Cendrars, *Trop c'est trop*. C'est très individuel, mais je n'y entre pas si facilement. Il faut partir dès vendredi matin – pas encore résolu le «problème» des enfants.

Saluts – envie d'être dehors.
Dehors c'est vraiment unique.
À tout de suite. Vite vite vite.

Pauline

***

[Trois-Rivières, 2 juillet 1962]

«Écoutez la chanson bien douce
qui ne pleure que pour vous plaire.»

Bonjour ma dame
J'ai été repris par Trois-Rivières, que dis-je, happé comme si je n'en étais jamais parti. Je ne suis pas très bien dans cette peau ce soir samedi. À Montréal au moins, j'étais à l'écart de la vie quotidienne, des gens, de leurs paroles, de leurs minutes-secondes-heures. Ici, me voilà dans cela à plein. Il me reste heureusement un bateau, des voiles à repriser, des épissures à faire, des ancres à lier à des câbles,

des livres à lire. Je serai au fond bien seul, j'en cherche quelques avantages, ils sont peu nombreux.

Mais je parle de moi et si peu à vous.

Je fais des poèmes et j'essaie de tirer au clair ce qui existe entre nous et mon attitude. Je cherche une explication. Je crois avoir trouvé, je vous en avais déjà dit mot.

Écrire, écrire, pendant que j'écris je me demande comme toujours quand j'écris une lettre pourquoi, quelle connerie écrire, je remets en question, ai envie de tout jeter et moi par-dessus bord avec. J'ai toujours eu cette tentation de tout briser ce qui se construisait autour de moi, comme pour être un peu le maître des choses qui de toute façon tôt ou tard me glisseront entre les mains et ne seront jamais menées à terme ni à bien. Nous vivons entourés d'échecs, de petits essais, de petites tentatives bien connes, ça me rend malade.

Mon attitude avec vous, la voici : je n'ai jamais cru que ça pouvait coller, vous et moi, je crânais, mais ayant la plupart du temps présent à l'esprit cette pensée ça ne se peut pas, ça ne peut être que des vacances, par définition courtes. Et pour le plaisir un peu triste d'éprouver cette chose, et juste pour voir de quelle façon tout ça va se dérouler à l'avenir, Trois-Rivières me tend les bras un moment donné. J'accepte, pour toutes sortes de raisons que vous connaissez et aussi pour celle-là que je dis plus haut. Pour voir comment ça va se dérouler. J'en ai assez de prendre ma vie en main.

Je ne veux plus avoir la volonté de vivre et de survivre. Les gestes les plus quotidiens me tuent, pour le moment. Je voudrais je ne sais quoi, quelque chose qui me remplisse comme une pierre. Je devrais comprendre que ça ne se peut pas. Tout au plus aurai-je avec vous des moments comme des fleurs entre nous et qui peuvent se reproduire, il n'en tient qu'à nous. Mais accepterez-vous la situation si distendue ? notre séparation ? de nous voir comme si j'étais un marin ? Sentez-vous entièrement libre et ne vous occupez pas de moi ni de mes sentiments.

Je ne sais si vous me reconnaîtrez à cette lettre. Je la relis, la trouve tragique, ou plus simplement triste, alors que si je vous expliquais ces choses de vive voix, je tournerais vite à la blague. Le langage est si drôle. Il faut voir tout cela.

Je vous confiance beaucoup, ma tendre amie.

On se marrera encore, il le faut.

Ça va déjà mieux, de sentir que vous lirez cela et qu'on se verra peut-être ces quelques instants par la pensée, en attendant mieux.

Gérald

XXX

Je t'embrasse partout

*** *** ***

[13 juillet 1962]

À la Une.

Y a des jours où j'ai une envie de vous tester. Ce n'est pas possible.

Voilà, c'est le deuxième bon film que je vois après *Jules et Jim* – *El Vitelloni* – et je ne suis pas détendue – et pas en forme – et je m'ennuie – et j'aimerais seulement le voir avec vous.

Quelle idiote je suis, bien sûr, et quelle vie vous me faites mener.

On en revient toujours là, la présence, la présence – je rentre à toute vitesse chez moi – au moins pour avoir l'impression de vous parler en vous écrivant.

Un triste 13 juillet vendredi. Mais je suis trop fâchée pour être triste en fait – et je m'aperçois qu'en dessous de ma colère au fond je suis calme – et heureuse et confiante (même pas pouvoir m'irriter en paix).

Mais tout de même, ce n'est pas un jeu, et je suis en colère autant que vous vous suffisez à vous-même – vous contentant des «choses éventuelles possibles». Quelle horreur.

Voilà de mon mauvais caractère.

Et pourtant c'est si agréable d'être douce et de se laisser couler. À vous de répondre et de jouer.

L'Autre

Au lit

Je continue *Le matin des magiciens*[9], et j'aime aussi cette solitude…

… et puis non.

———

À la Deux.

C'est une lutte bonne et entraînante, mais qui laisse un peu épuisée, comme après le ski aquatique – il faut doser.

Il faut aussi avoir confiance pour être heureux. Mais faites ce que vous voulez, prenez du recul – jouez. Il ne s'agit plus de discuter, on s'en fout. Je repense à cette image de *La route du tabac*, la fille qui lentement s'approche du type, et lui d'elle.

C'est tout, on a envie ou pas envie.

Attraction de la Lune, du Soleil, et de la Terre qui tourne.

C'est marrant d'avoir voulu tout dire, d'avoir insisté un peu pour cerner, étaler cette pensée – puis tout à coup vidée.

Si vous êtes intéressé, si vous avez envie, vous viendrez sonner à ma porte, et vous verrez bien si je suis là. Mais c'est un risque. Tant pis pour vous – et probablement pour moi.

Mais je vous embrasse sur les paupières,
        et sur vos cils longs

Pâoline

* * *

[Mi-juillet 1962]

Salutations respectueuses

Votre lettre vous ressemble à un point qu'on ne saurait l'imaginer. Vous êtes d'accord, vous ne l'êtes plus, vous riez, vous criez, vous êtes lyrique, dure, vous avancez, vous reculez, vous aimez, vous n'aimez plus, vous savez, vous ne savez plus, vous voyez clair, vous êtes aveugle.

Et cela tour à tour de telle sorte que je n'ai jamais vu en quatre ou cinq pages où vous évitez comme une patineuse montée sur une plume les embûches des japonaiseries, je n'ai jamais vu, dis-je, autant de gaspillage, je n'ai jamais vu une telle abondance, une telle perte.

Jetant tout à mesure que tout vous vient et voyant dans cette attitude, je crois, votre raison de vivre. Depuis que je vous connais, je vous ai toujours vue ainsi. Vous vivez sur des coups de tête comme une cavale affolée prise au piège. C'est pourquoi je crois que vous vous suiciderez un jour si ce n'est fait quand cette lettre vous parviendra.

Dans tout, tout vous sollicite et vous vous dites et pourquoi pas après tout. C'est ainsi que je suis entré dans votre vie.

Vous vivez beaucoup, vous devez regagner votre lit le soir complètement épuisée et vous vous dites probablement, sans vous le dire car rien ne vous fait plus horreur que la conscience, j'ai vécu, j'ai pris des risques, je me suis approchée des êtres, j'ai touché à bien des choses, à bien des gens, je n'ai pas eu peur. Vous vivez sur une corde raide mon enfant et j'ai presque envie de vous dire vous voulez tellement vivre sur une corde raide que la corde raide a pris plus d'importance que la vie elle-même.

Mais ce ne serait sans doute pas tout à fait vrai, car rien n'est vrai que ce dont on est sûr.

Je lis votre lettre pour la première fois peut-être (j'allais écrire «pour la centième fois peut-être»).

Je n'ai pas peur des êtres, j'ai peur de leur faire mal. Je me souviens de mes jours, je me souviens de mes nuits, les rancunes inaltérables que je nourris font que toujours ce sera les autres qui souffriront.

Avec des gens, j'entreprenais de dire des choses cruelles, dures, sadiques presque, par jeu ils cassaient tous avant moi, parce que je n'ai pas de cœur et que je le sais et que je ne suis jamais pris au dépourvu pour me justifier, pour rassurer ma tranquillité intérieure il vaut mieux être en désaccord avec l'univers entier qu'avec soi-même. Je ne suis jamais en désaccord avec moi-même.

Mais tout ceci est tellement prétentieux qu'on se dit ce doit être exactement le contraire. Et puis non, c'est très dur quelque part dans mon univers, c'est très sec.

C'est cette sécheresse qui est en moi et non la fantaisie, le cœur, la tendresse, les choses du sentiment. Avec vous, c'était comme des vacances que je prenais, j'étais heureux, mais tellement conscient que ce n'était que des vacances, tellement conscient que j'ai voulu au bout du compte que ce ne soit que des vacances. Et il y avait aussi beaucoup d'autres choses que je vous ai dites cette fin de semaine où vous avez peut-être un peu souffert. Je dis peut-être car il n'y a qu'une chose dont je sois sûr au sujet de cette fin de semaine à l'Estérel, c'est que je m'amusais beaucoup. Voyez-vous, là n'est pas ma vie. L'amour, les gens, ça ne me satisfait que fort peu, je suis toujours comme distancié, je ne suis jamais pris, engagé.

J'ai peut-être besoin d'un être qui n'existe pas et dont je me serais inventé l'image à l'âge où l'on ne voit pas la réalité, mais ses reflets, qui sont plus beaux, plus complets, plus vastes que la réalité comme Platon le dit, parce qu'ils n'existent pas, parce que tout y est possible.

Il n'y a que quelques choses qui me satisfont : voir les mots s'animer sur page, conduire sur une rue comme un poisson va dans l'eau. Ce sont des choses entre moi et moi. Dès qu'on est deux, ça devient tellement séparé. Il me faudrait une femme qui serait totalement dévouée à moi-même, ou qui m'en donnerait l'impression. Une femme assez intelligente pour me donner cela sera mon grand amour.

Et puis peut-être pas.

Gardez vos images très belles, comme vous dites, je garderai les miennes. Vous êtes dans quelques-unes des miennes. Je suis dans quelques-unes des vôtres.

Les lettres ont un destin fragile, dites-vous. La phrase est belle. Vous écrivez un peu plus loin : elles meurent lentement, comme une fleur se fane ; c'est un peu facile.

Et je roule, comme une roue. Et je pense, comme un roseau. Et je pleure, comme une fontaine…

Et comment se portent vos seins ?

« Quelle sorte d'être est celui qui ne s'attache à aucune chose ?

Je vous le dirai lorsque vous aurez avalé d'un seul trait toute l'eau de la rivière de l'Ouest. »

Hic est un dialogue zen que Raymond Abellio met en exergue au deuxième chapitre de sa *Fosse de Babel* [10]. Ça vous remplira de bonheur parce que vous êtes intellectuelle et vicieuse. Vicieuse en ceci que l'obscurité et l'enchevêtrement des idées vous satisfont comme une vérité.

Là je me perds, je commence à perdre, je sens le sang qui coule de partout. Je stoppe les machines et vous adieuse.

Gg

**

[Mi-juillet 1962]

Voilà, c'est comme un testament.

Pour moi toute seule, il a raison mais il me semble que les idées et le cœur se placent.

Envie de vivre ma vie seule, de regarder monter attentivement celle des enfants – et quelque part construire, se construire. Ou trouver aussi quelque chose de dur, solide.

Ce n'est pas vrai, il n'est pas entré ainsi dans ma vie par hasard – puisque jamais devant aucun autre, je ne me suis tellement effacée devant lui. J'aurais pu, peut-être, être pour lui cette épouse idéale, si le temps nous l'avait permis.

Je ne me suiciderai pas – pas encore – par respect encore que j'ai, pas encore pour moi, cela viendra, peut venir, mais pour les autres – ou la vie elle-même.

Moi aussi cette façon qu'ont de courir les mots me satisfait beaucoup.

Et vous avez dû vous, à écrire votre lettre, être comblé de plaisir.

Je ne dirai pas, pas encore ce que vous êtes pour moi – mais il se peut que cela revienne.

Ce fut presque par hasard que nous nous sommes touchés. Mais il me semble que nous sommes faits l'un pour l'autre pour nous regarder, être d'accord, partir presque du même pied – moi plus légèrement parce que je suis une femme, vous gravement un peu – parce que à ce moment-là vous êtes moitié nageant – avec quelque chose qui vous monte de vous, bien sûr, mais qui n'est pas cette petite chose dure à laquelle vous tenez tant.

Et nous allons rire, et dire saluts, et au fond, dans cette grande solitude mienne – et rancune vôtre –, goûter une oasis de fraîcheur.

[Pauline]

***

[17 juillet 1962]

rentrer chez nous
en la cité en l'île
l'âme légère
et le pied lourd de vin sinon de bière

salut, salut,
je me demande jusqu'à quel point tu ou vous m'en voudras ou voudrez. Quelque chose de définitif, de bien là, de présent, une volonté de ne pas vous perdre ou te perdre, et l'exclusivité de mon attention, de mes sentiments si l'on n'a pas cela, on n'aime pas, si l'on ne sent pas cela en soi, on ne peut pas dire que l'on aime.

Vous me faites marrer et remarrer
Et j'ai des rires qui tirent

Sur les amarres
De ma gravité

Comme si c'était vous seule qui aviez la bonne définition de l'amour, l'idée juste qu'il faut s'en faire. Vous voulez tout avoir. Je voudrais moi aussi tout avoir, mais est-ce possible? Peut-on s'engager, faire des promesses sur des choses qui ne sont même pas à nous, mais à quelque diable en nous, en moi, et en toi? Je suis beaucoup trop honnête pour m'engager ainsi.

De toute façon et je te dis ça en me marrant doucement, que vous faut-il de plus que ce que vous avez? Comme si l'amour, il fallait absolument que ça croisse comme ces maudits grimpants qu'on coupait tous les quinze jours par cheu nous à Champlain, parce qu'ils nous empêchaient de voir les voisines quand elles se baignaient à moitié nues dans le fleuve.

Je coupais les grimpants sur la galerie. Je coupe toute velléité qu'il y a en moi de vouloir m'enraciner dans un sentiment. Car c'est une illusion de croire que ça peut être définitif. Je ne dis pas que notre vision actuelle des choses, car c'est aussi la vôtre j'en suis sûr, ne peut pas durer des siècles et je ne dis pas que nous ne nous aimerons plus dans 50 ans, mais il est bien clair qu'à jamais libres l'un vis-à-vis de l'autre, à jamais libres de nous dire ce que nous ne cacherions pas à un ami fidèle, nous assurerons beaucoup mieux, à mon avis, l'équilibre que nous avons atteint.

C'est cet équilibre que je veux sauvegarder et cet accord entre nous. Si nous ne nous entendons plus, il ne nous restera qu'à faire l'amour jour et nuit. On ne pourra plus se dire un môdit mot sans s'engueuler. Je t'aime et tu le sais bien, que veux-tu de plus ? Toute ma vie, toute mon âme, toutes mes pensées. Mais tu les as. Ce que tu n'as pas et n'auras jamais, parce que tu t'emmerderais bien vite, ce sont toutes mes heures. Au fond, c'est parce que je t'aime et ne veux pas que tu t'emmerdes ou sois ennuyée que je pars souvent.

Tu n'as jamais compris ça, tu es trop conne.

Heureusement que je suis là pour prendre garde à ce que tu ne souffres pas, si je n'y veillais, tu serais dans deux jours à jamais liée à un grand con de Trifluvien dont surtout l'absence fait le prix. J'en sais quelque chose, c'est quand je suis «parti» que je me supporte le mieux…

rentrer chez nous
en la cité de l'île
l'âme légère
et le pied lourd
de vin sinon de bière

Si j'écrivais mon «voyage philosophique à Paris», c'est ainsi que je commencerais.

Je me relis et me rends compte que j'ai atteint dans mes lettres la même confidence, la même liberté d'allure que dans mes propos avec toi sur le lit le matin ou le soir. Je suis tout entier à toi, j'ai mis mon âme à nu, telle qu'elle est depuis toujours. Que te faut-il de plus ? Une vulgaire présence ? Je suis à lire les œuvres complètes de Pierre Cardinal, troubadour du Xe siècle. C'est extraordinaire. En voici quelques extraits :

« Jamais ma mie ne me retiendra si je ne la retenais elle-même et jamais de moi elle ne jouira si je ne jouissais d'elle. J'en ai pris la résolution sage et certaine je lui ferai selon qu'elle me fera. Et si elle me trompe, elle me trouvera trompeur, et si elle va pour moi le droit chemin j'irai pour elle tout droit.

Je ne gagnai jamais si grand gain que lorsque je perdis mon amie car, la perdant, je me gagnai, puisqu'elle m'avait gagné moi-même. Il gagne peu celui qui se perd, mais si quelqu'un perd ce qui lui nuit, je crois que c'est là un gain! Car je m'étais donné, par ma foi, à telle qui me détruisait je ne sais pourquoi. »

Et tout est dans cette eau. Je lis ça et j'en ai des jouissances dans l'esprit.

À tout de suite
gg

* * *

[Juillet 1962]

Un papier japonais, mon âme japonaise. Bonjour – c'est d'accord que je suis idiote. Je relis votre lettre encore – et elle est belle très belle. Écrivez-moi encore – et sentez-vous bien. Au début… il n'y avait pas entre nous de « compliquées circonstances »… il faut s'adapter peut-être – je ne veux pas vous torturer, pardonnez-moi. Ces moments passés du vendredi au samedi furent très doux – et je veux essayer comme pour vous que le temps ne compte pas. C'est difficile, très difficile… Mais oubliez – et souvenez-vous des choses douces.

À tout de suite encore une fois.
Moi et pas une Autre.
[Pauline]

**

[Fin juillet 1962]

Mardi, 21 heures

Je suis envahie d'un désir immense d'amour, d'accomplissement – de découvertes. Je suis seule. Il me semble désirer énormément votre présence plus que toute autre, et mon désir est moins violent – que cette possibilité que je prévois d'échanger, de pousser nos pensées et nos sensibilités à nos connaissances limites. Je résiste aussi à cette tentation de vous téléphoner, non seulement parce que cette fois-ci il y a beaucoup de chances que vous ne soyez pas là, – mais aussi qu'à ce moment un appel téléphonique n'apporterait pas cet échange profond, ce regard sur nous-mêmes qu'il nous est permis d'avoir ensemble, et que ce serait vraiment se leurrer d'essayer de se dire quelques paroles douces.

Lucidité. Je me demande si le désir même seul ou plus, l'amour d'un autre être que j'accepterais aussi, me comblerait autant que votre présence. Il me semble que ma réponse est négative. Mais comment réellement affirmer ces choses – quand nous avons ensemble, malgré tout, si peu, confirmé, affirmé, prolongé notre entente et notre intimité.

Mercredi

Votre lettre ce matin, elle est pleine et elle m'envahit elle est belle et je vous comprends – et je veux de toute mon âme vous respecter et peut-être vous suivre. Mais je me connais aussi, et je connais aussi ces faiblesses (si on veut) ou ce tempérament qui me pousse à tant désirer vivre tout de suite et à ne pas attendre.

Je suis allée chez Gaston et j'ai acheté beaucoup de bouquins. De la poésie, des romans – je vais emprunter aussi Yung. Gurdgieff – l'orthographe est-elle bonne?

Et merci de vouloir penser avec moi à cette paix – que j'espère aussi – mais comme il nous faudra être doux et patients.

Voilà. Pour le moment, je n'ai plus rien à vous dire. Bien sûr, je le répète. Je ne veux rien attendre de vous ni rien vous demander, c'est quelque démon en moi qui s'installe plus souvent qu'il ne faudrait, quand malgré moi j'insiste.

Moi aussi je vous embrasse très doucement.
Immensément fragile.

Pauline

***

[Fin juillet 1962]

Chriss Marker[11]
Je suis en chrissss
Chrisss Godin
Bonjour –

Comme je vais à Percé pour le lundi 30 juillet…
ou 31 – jusqu'au mercredi en «8» – c'est-à-dire le
8 août – et après Saint-Fabien les 8-9-10-11-12 août
pour revenir le 13 ici ou Trois-Rivières ça dépend!!
– Adresse à Percé a/s de l'Hôtel

Côte Surprise
Percé
Cté de Gaspé

Saluts
Pauline Chrisss

**

[Début août 1962]

«Pleure Anse Pleureuse…
… morne désespoir.»

C'est Gaston Miron, rencontré l'éclair d'un
espace, qui rejoint ainsi mes ancestrales attitudes.
Mais Percé est gris – avec une noblesse unique. Il
émerge, se perd, se retrouve dans le brouillard et
le «peuple» se lamente – mais la sirène ponctue
inlassable – ces larves de vies qui s'essaient à survivre.
C'est la Beauté en gris blanc et noir… d'autres
Barbeau[12], et d'autres Borduas.

Je vais me reperdre sur le quai – à plus tard.

———

Jeudi

Il y eut hier soir la grande première de «20 Ans[13]»,
ç'a a été un gros délire. Un grand étonnement pour
moi, pour le public un peu plus, et comme dans

l'illustration célèbre j'aurais embrassé mon pianiste… qui est François[14] – qui navigue (?) jazz «man» – et pas Pierre[15].

Saluts – mon frère.

Pourtant je ne bouge pas beaucoup, car les soirées sont «fatigantes», et j'essaie de «récupérer» ma voix pendant le jour. Mais j'aime et je m'imprègne de Percé! Le cri des mouettes, le paysage toujours mobile, la promenade dans les nuits silencieuses – et je vous écris.

Je pensais ce matin, ou cette nuit… Le temps s'est un peu arrêté. Nous avons tellement parlé du plus grand Sujet… de l'Amour, qu'il est presque difficile de cerner d'autres plans de nous-mêmes. Il y en a – mais à côté de celui-ci, ils semblent perdre de la couleur et de la profondeur.

J'aborde mon ami Kanto (le comédien) en lui disant «Tu sais ce que je lis en ce moment… *Le tambour* de Günter Grass». Il me regarde, un instant suspendu «Vous savez que vous êtes étonnante – j'ai avec moi *Le tambour* – et j'en suis à la page 80». Moi c'était à 84 à peu près. À la première rencontre, début-fin juin, je lui parlais de ma bible *Le matin des magiciens*, qu'il venait juste de terminer. Avec le brouillard, le cri des mouettes, et le rocher – voilà une bien jolie chose.

J'ai plaisir à vous écrire – et vous me manquez beaucoup – sans laisser bride à mes désirs violents – puisque j'ai perdu une certaine confiance.

Que devenez-vous? Où êtes-vous? Trop loin.

Kanto aussi est comme il dit : «Nous slaves, nous essayons et même plus, nous sommes bien où nous sommes.» Je n'y arriverai jamais – mais peut-être qu'avec lui et vous me laisserai-je endormir.

Un thème de Miron

«Qu'importe que nous n'ayons pas d'amours,
d'autres les auront.»

Il s'informe de vous et dit que vous seriez peut-être apte… à écrire, à vouloir m'écrire des chansons.

Je termine pour que cette lettre, illusion, vous touche plus tôt – c'est un peu de moi. Il y a Puck, Kasma[16] – arrivés d'hier… mais ils sont un peu loin. C'est ma faute probable. Je ne peux être près – de plusieurs âmes à la fois. Je pourrais vous offrir ma joue… mais c'est un peu un mensonge de ne sembler offrir qu'elle.

Pauline

***

[Début août 1962]

Ma chère âme,

J'ai reçu hier matin ta très belle lettre. Je ne te savais pas poète.

Je vous ai déjà écrit une lettre qui finissait sur ces mots je ne vous envoie pas cette lettre, ne la lisez pas. Je l'ai glissée dans une enveloppe, adressée et ne vous l'ai jamais envoyée.

Il me semblait que je vous avais perdue de vue et de sensibilité. Je vous ai retrouvée ce matin.

Quelques heures par jour, je pense qu'il serait bien que je vous entende rire à grands coups comme vous le faites, que je vous voie en rentrant chez moi, que vous soyez toujours là, toujours à portée de la présence, qu'il serait bien que vous soyez ma femme, en un mot. Je crois que je serais heureux et pas vous. Il vous faudrait rompre avec trop de choses qui vous tiennent à cœur, votre univers, votre cosmogonie comme on disait cet hiver en montant ensemble sur la neige à Val-Morin.

Mais ces choses sont dites et entendues, nous n'y revenons plus.

J'ai fait beaucoup de choses ces dernières semaines. Trois-Rivières – Québec en voilier. Dix heures de fleuve, retour sur le pouce en hobo, pour travailler à 7 h. Six heures de pouce, des heures et des heures de faction en plein soleil pour voir passer des centaines de voitures à toute allure, chacune étant une promesse, un espoir non tenu. La vie qu'il faut mener de temps en temps, l'illusion d'être seul au monde et en butte à la nature des choses et des gens.

J'ai aussi croisé et passé plusieurs jours avec mon ami Goulet[17], le romancier qui vit à Mallorca et a ses entrées à Albin Michel. J'aime bocou ce gars-là, d'une grossièreté voulue et timide à la fois, tour à tour d'une sensibilité enfantine, d'un sérieux de clinicien et d'une tendresse infinie pour les gens, d'une compréhension totale. Tour à tour insupportable de fausseté et très vrai, très sincère. Une âme torturée par de mauvais souvenirs, équilibré à grand'peine. Il est long comme un jonc de mer, avec une grosse moustache presque à la Brassens. A un caniche blanc et abricot, descendant du caniche d'Errol Flynn et de la caniche de Robert Graves, poète anglais qui vit à Mallorca, où l'on peut vivre pour 1 500 $ par année.

J'ai pris part dimanche, hier, à une course de voiliers sur le fleuve, en face de Baie-Jolie. Il y avait une quinzaine de voiliers de toutes classes. Soleil martelant, une brise passagère et tout à coup le calme plat. J'ai plongé en plein milieu du fleuve et remorqué le bateau très léger à force de gueule jusqu'à ce qu'un yacht nous prenne en tire.

Ai rencontré des gens plaisants qui ont un grand voilier et m'en font l'invitation, vu que j'ai vendu le mien, étant trop cassé. Les mêmes ont une bête magnifique, un pur-sang qu'ils ne peuvent monter chaque jour, comme, paraît-il, il faut le faire.

Et voilà.

Bonne nouvelle. Je couvre le festival du film, la fin de semaine du vendredi au dimanche soir au complet et les autres jours. Je descendrai de TR tous les soirs après souper, je travaillerai au journal pendant le jour, pour assister au dernier spectacle de chaque jour.

J'ai des billets pour vous pour chacun de ces films, c'est-à-dire, vendredi soir, samedi toute la journée, dimanche de même et tous les autres soirs, spectacle de 9 h 15.

Des chansons pour vous, j'y penserai. Pour le moment, faites mettre en musique cette chanson de Clément Marot[18], extraite de *L'adolescence clémentine*.

«Ne sais combien la haine est dure,
Et n'ai désir de le savoir :
Mais je sais qu'amour, qui peu dure,

Fait un grand tourment recevoir.
Amour autre nom dut avoir ;
Nommer le faut Fleur ou Verdure
Qui peu de temps se laisse voir.

Nommez-le donc Fleur ou Verdure,
Au cœur de mon léger amant ;
Mais en mon cœur qui trop endure,
Nommez le roc ou diamant :
Car je vis toujours en aimant,
En aimant celui qui procure,
Que Mort me voise consommant.

N'est-elle pas belle ? Je l'ai cherchée et trouvée pour vous. Elle était de cette lettre que je ne vous ai pas envoyée. Miron me pousse à vous l'envoyer et je songerai à faire des chansons pour vous. Ce me serait, je crois, assez chose aisée.

J'ai des projets d'écriture plein la tête, mais il fait trop chaud. Il me faut tout mon courage pour vous écrire. TR est une chaudière de navire.

J'ai fait un petit chiard contre la censure, sur le journal et à la radio. M'en suis pris à l'Église et aux curés, je passe pour le Trifluvien perverti par Montréal, exportateur d'idées étrangères et qui par conséquent ne conviennent pas aux Can. français, comme si la liberté était étrangère aux gens. J'arriverai peut-être à faire une vraie explosion à TR, à me faire excommunier ou quelque chose du genre. Je lis et parle de Karl Marx et de Lénine partout. Il paraît que c'est la faute à J.-Ls Gagnon[19] si je suis communiste... je m'amuse beaucoup. Ça me rappelle quand je disais crisse à table, du temps où j'avais une famille, juste pour les voir s'étonner, me reprocher, me réprimander.

En somme je suis heureux. Pour la vie que je me propose de mener, TR me convient pour l'instant. J'ai souvent envie de recroire au destin et non plus aux faits que l'on influence, que l'on fait...

Marylin Monroe est morte et je n'étais pas dans son lit. Je me sens frustré à jamais.

Saluts
Je vous embrasse

Je vous ferai des chansons; si Miron l'a dit, ce doit être vrai que je peux. Il me reste à trouver le joint, le ton, l'image à donner. Ça viendra, faites-moi confiance.

À ce treize août, si vous arrivez à Mtl avant six heures, appelez-moi à Trois-Rivières. Je pars pour Montréal à six heures du soir pour arriver vers huit heures pour le festival. Si vous stoppez à TR dans l'après-midi, on montera ensemble, j'aimerais ça.

Salut, the queen

gg

***

[*Circa* été 1962]

Je me réveille trop tôt ce matin, il faudrait être bien dans sa peau – si vous étiez là, on rigolerait quand même en se disant que ce n'est peut-être que physiologique et qu'elle est peut-être simplement trop étroite. Je pense à notre concordance dépensée à 2 h – ce matin, et cela m'est doux.

Il y a trop de questions qui se pressent au sujet de mon tour de chant – dans mon esprit. La Foi. La Foi. La Foi. Il y a aussi Pierre, mais ce serait à moi de dominer cet esprit familial, quotidien, réactionnaire. Et au lieu de cela je me tasse dans un coin et je rumine.

Quelle idiote. J'ai un tempérament lucide mais excessivement influençable. *Je le sais.* Alors ce qu'il me faut c'est bien choisir mes influences, éliminer les autres sinon je suis foutue. Merci. *Over.*

«Je m'excuse» de cette petite conversation où je me parle en vous parlant. Mais quel choix d'auditeur...

Adulé – adulte – adultère. Aldous Huxley – et c'est parti pour le programme.

Je vais manger une tartine au miel, en pensant à vous.

J'ai envie de relire *La force de l'âge* de Simone de Beauvoir pour m'imprégner de cette force – qui, quoique féminine, est toute raisonnée, forte, sage.

Saluts, lumière de mon cœur.

J'ai dormi. J'ai mangé, et je m'ennuie de vous, c'est tout. Thème à retenir, ou «termes», pour chansons.

Je m'ennuie de vous, c'est tout.

Le mot ou la rime est riche et sensuelle.

C'est agréable de vous écrire ainsi, au lit.

Je lis, j'apprends l'espagnol. Je dors – au fond j'aimerais assez passer *ma vie au lit*... (thème aussi pour chansons – avec petit discours préambule, explicatif)… et je vous écris – il me semble que je dialogue sans cesse avec vous.

Notes de musiques à insérer… (sur l'air connu)
Dites-moi je vous aime, dites-moi
Pour tou---jours… (le reste, la suite
m'échappe, et c'est dommage)

Plus tard
Saluts
À tout de suite
Pauline
Je pars répéter…

***

[*Circa* été 1962]

Vous ne m'êtes pas d'un amour tranquille. Tout va bien – et puis tout à coup je m'ennuie, il se creuse un trou – et j'y tombe. Que de répétitions et que de mots – au fil des jours qui se répètent. Vous avez peut-être raison – il est question de pôle affectif – toujours – mais le choix entre en ligne de compte. Notre choix – et ce samedi qui ne vient pas.

Je vous embrasse.
[Pauline]

***

[Août 1962]

Une patience, et une sagesse… comme c'est long à venir. On a toujours envie de piaffer. C'est une question de non-accord… Je pense à des milliers de choses à vous dire – par exemple, qu'avec vous rare est l'envie de piaffer. Mais il y a ce rocher percé, ces cris d'oiseaux, ce grand soleil et, sur la route, un paysan à cheval. Où êtes-vous entre ciel et terre ? – L'absence ne se comble jamais.

Pauline

* * *

[Août 1962]

Je lis *Les yeux d'Ézéchiel*[20] et je voudrais aussi que les miens s'ouvrent. Devant l'intelligence, la connaissance froide et profonde de ces hommes sur eux-mêmes, je me méprise de n'être qu'impulsions et émotion de vivre. Et pourtant je continue.

J'ai une exaltation à penser que vous m'aimez et que je peux vous aimer et pourtant j'ai tellement peur, déjà engagée dans tellement de routes à la fois, et je ne parle pas des amours passées… ou des amitiés engagées ou futures – qui m'effraient aussi. À la longue, j'ai peur de la fragilité de mon cœur et de son inconstance – mais je parle de ces routes où je dois continuer travail – enfants, au moment où je voudrais (sans réellement le vouloir), être cette jeune fille dans le train que vous m'avez désignée et avec qui je suis revenue m'asseoir. Cette jeune fille ignorante et qui n'aura qu'à se lancer dans la première voie offerte.

Il y a Montréal, la ville qui s'avance, il y a les champs où on fait les foins, il y a moi moulue par vous et votre présence en moi presque encore physique, tant nous avons essayé de n'être qu'un. Il y a «mon amour je t'adore» et moi qu'il faut garder autonome quand je me sens et ne désire qu'être esclave.

Après le téléphone – cette divagation que je vous envoie quand même.
Mais je suis bien et cela persiste.
À bientôt.
Je vous embrasse en espérant avec vous la sagesse, le calme, le silence.

Pauline

***

T.R., le 20 quelque chose août [1962]

Ma sœur, mon âme, mon destin, mon noyau

Voilà que la peur te prend, engagée dans tant de routes à la fois. Ici c'est l'automne et mon égoïste cœur de jeune homme léger pense à l'automne qui vient. Le ciel est plein d'étoiles ce soir, car je t'écris ce soir et non cet après-midi comme je te l'ai dit au téléphone. Je porte longtemps cette lettre en moi avant de l'écrire.

Tu as peur, et moi je m'efforce de n'avoir pas peur, de ne pas me laisser emporter par la peur, de ne pas être balayé par tes impulsions, de rester moi-même devant ta force ou la force de tes sentiments, et la force de nos sentiments, au bout du compte. Depuis le début, d'ailleurs, je n'ai pas reculé, c'est toi qui as avancé, sauf peut-être pour cette fin de semaine dernière où j'ai senti quelque chose de profond en moi pour toi, quelque chose que je sens encore mais que je maîtrise et dont j'ai peur qu'il ne porte atteinte à mon être menacé.

Car je ne veux pas aller à Montréal pour te faire plaisir et à mon détriment. Je veux aller à Montréal parce que je veux te voir. Et même si je songe par exemple à aller te voir dans deux jours, si tu me le demandes avec insistance, je vais me sentir forcé et j'irai malheureux. Ne m'en veux pas. Je suis comme ça et ça ne change rien à mes sentiments pour toi.

Pourquoi t'ai-je aimée tout à coup? Je ne sais pas au juste, mais je t'en prie ne deviens pas égoïste, sous prétexte que je t'aime, ne va pas m'astreindre, tu comprends. Je te dis ça avec tendresse, comme si nous étions au lit tôt le matin assistant au réveil de la rue Saint-Marc. Vous êtes le feu, je suis peut-être le bois qui a un peu peur de vous. Il faut tellement tout embrasser de la vie, ne pas se buter sur une seule chose, c'est le secret de la paix et c'est cette paix que je veux vous donner, plus que tout le reste, car je passerai et cela restera, car les êtres passent et les sentiments restent.

Je ne veux pas ne faire que passer, c'est évident, mais cette paix que j'ai, je crois, acquise est fragile, c'est sa marque. Je la veux conserver et vous amener à la même. En voiture, l'autre jour, en partant de chez vous, vous n'aviez pas la paix et pourtant j'étais là, comme quoi la paix est intérieure et ne tient pas à un ou des autres.

Mais peut-être cette paix sera-t-elle une trahison de votre tempérament. Même si je ne le crois pas au fond. Je pense par exemple à vendredi soir dernier, je devais avec vous aller voir *Richard III* et j'avais peur, vraiment peur de vous annoncer que je ne pourrais y être. À ma grande surprise, vous avez réagi comme si de rien n'était. Vous m'avez semblé comprendre et ne pas insister. Quand vous insistez, j'ai une mauvaise peur, non pas la bonne peur que donne un amour qui vient au monde, mais la mauvaise, celle qui me réduit.

Ici, le déménagement recommence. Je remets pour la centième fois, ce me semble, mes livres dans leurs caisses, j'en ai assez, je voudrais m'établir quelque part jusqu'à la fin de mes jours, me caler confortablement quelque part et de là lancer quelques fusées de par le monde. Mais peut-être faut-il un «milieu» pour lancer des fusées, peut-être faut-il être à l'heure qu'il faut, parler de ce qu'il faut, suivre un mouvement quelconque, auquel cas mes fusées m'exploseront au visage, tout simplement, comme les excellents poèmes de Clément Marchand[21] que je découvre et toutes leurs beautés ont pourri sur place et lui avec, malgré tout, malgré qu'il était jeune comme moi, qu'il a obtenu le prix David, etc. Ça me fait un peu peur cela aussi, et aussi l'automne qui sera froid et aussi vous qui de temps en temps vous conduisez mal, êtes, pour reprendre l'expression de je ne sais plus quand, «tristement conne».

Mais je vous aime quand vous êtes une adulte et ne reconnais plus quand vous me faites croire à moi-même que je suis une espèce de monstre sans-cœur quand j'ai peur de vous faire de la peine et que je force ma vie dans un sens qui me plairait peut-être s'il m'était naturel et me serait peut-être naturel si on ne m'y forçait pas. Tout ceci et je conclus peut-être n'irai-je pas vous voir jeudi. Je dois retrouver ma paix. Je dois être seul quelques heures.

Je vous embrasse, je m'ennuie de vous.
Soyez heureuse et paisible
Je t'aime presque tout à fait

Gérald

**

Trois-Rivières, la fin d'août [1962]

Paolina, de mi corazón
     Maudite boisson – et toi, comment es-tu dans ta belle petite peau ?
     Je mets en caisse mes mille bouquins pour déménager d'ici le 1er septembre. Je vais louer une remorque et tout crisser mes meubles, paperasses, bouquins et guenilles dedans, de manière à ne faire qu'un voyage.
     Le party de Shawi a été épique. On s'est engueulés, on s'est battus, ma veste est déchirée – il y a des bagnoles qui sont mortes le long du chemin et que leurs chauffeurs ont laissées là jusqu'au lendemain – en sortant de la bagnole du bureau, qui

m'a ramené à T-R, je me suis poigné le doigt dans la porte, j'ai dit crisse, tabarnaque et cincrème d'Astie toastée et je suis venu me coucher – mais mon lit était très froid. J'ai pensé à toi beaucoup, mon lit s'est aussitôt réchauffé et j'ai dormi comme un infirme très bien – aux dernières nouvelles, le docteur devra peut-être me couper mon doigt blessé le petit de la main droite – celui dont je me sers dans mon nez. Ainsi la symétrie sera rétablie et je pourrai aller dans la vie à nouveau équilibré à mort.

Chanceuse de changer d'air, j'ai calistement hâte d'être à Paris !

Mettre des livres en caisse, il n'y a rien de plus écœurant, surtout quand on a pris une tasse la veille et chaque livre est comme un coup de judo sur la nuque, quand on se penche pour le mettre dans sa boîboîte.

Et toi, et toi, et toi, petite crotte de mon cœur.

J'ai hâte qu'on se remarre.

Le party de Shawi a fini par une demande à la danseuse de l'hôtel de nous faire un striptease. On lui a offert 50 $, elle en voulait 100 $. Alors, on s'est tous masturbés en chœur les uns les autres.

Party conforme en tous points aux règles du genre – je t'en conterai quelques bonnes qui se sont produites pendant les dix heures qu'il a duré.

Hier, je suis allé en yacht sur le fleuve avec Gilles Héroux. Deux jours avant, j'avais fait de la voile, les conditions étaient magnifiques.

Je t'embrasse probablement
Et je t'aime vraisemblablement

Gégé

***

[Septembre 1962]

Bonsoir cher Monsieur sérieux Gérald Godin,

Il me semble vous voir un peu voûté, très concentré, un sourcil un peu froncé si je vous distrais au moment où vous vouliez poursuivre votre idée.

Et puis il y a cette petite moue qui se déplace – à d'autres grands moments – où tout nous échappe.

Me voilà – pas sérieuse du tout. Ayant envie d'être toute calée, enfouie et surtout terriblement en paix – dans vos bras.

Cher Monsieur sérieux.

Comme sur un calepin et presque sur un calepin – il me semble avoir noté dans ma tête, tout ce que vous me racontez toujours – bien vrai – comme tout cela est valable – bien pensé – bien raisonné – laissez-moi rire un tout petit peu de vous – vous avez raison… bien sûr.

Et hop le petit nuage passe.

Et voilà qu'il crève juste au-dessus de votre tête. Ça alors… il fallait y penser et dessiner une image… qui ne soit pas si mobile…

Mais vous trouverez des soleils, des soleils…

Au revoir monsieur Godin…

Tout de même… entièrement Vôtre Nuage

[Pauline]

***

[Octobre 1962]

Cette espèce de cure de silence et un peu d'éloignement où vous semblez vouloir vous plonger, que je comprends mais que j'avoue avoir grand-peine à respecter... Chaque particule d'air me souffle votre nom, et chaque mot ou note qui sort de ma bouche à l'instar de tous a votre nom comme palier de départ.

C'est idiot – d'ailleurs je ne sais plus rien – d'ailleurs s'agit-il de penser ou d'agir – depuis des huitaines de jours mon travail – c'est-à-dire je me sens vide dans mon travail.

Bref comme imperceptiblement nous changeons – et si violemment que j'en reste bouche bée.

Au hasard je viens de relire probablement la plus belle lettre que vous m'avez écrite (peut-être sont-elles belles toutes). Je veux m'étonner, m'arrêter pour le moment devant celle-ci seule, qui est datée du 20 quelque chose août – qui se termine

Je vous embrasse
Je m'ennuie de vous
Soyez heureuse et paisible
Je t'aime presque tout à fait
Gérald

Je ne sais pas trop ce que je vais te dire encore – en relisant cette lettre. Je pense à nos colères, nos réconciliations, à mes peurs – suivies des compréhensions – à ces tas de choses auxquelles je voudrais participer avec toi – et puis ce temps qui m'échappe, qui éloigne – cette profondeur qui semble s'être installée en nous… Et puis tout à coup, un mot, une insistance, incontrôlable – mais lucide – et nous voilà chacun à notre pôle. Tu me dis «ma paix acquise et fragile, que je veux conserver – mais vous amenez à la même».

Le pire des «péchés de l'amour» est sûrement celui d'enlever la liberté, d'astreindre. Mais à quoi, je ne dirai pas sommes-nous!! Mais suis-je soumise à une entente exceptionnelle! Mais qui exclut les sources de joie du côte à côte. Je t'explique mal – je voulais simplement te dire mon étonnement devant cette lettre légère, lucide, amoureuse – presque neuf mois d'écoulés. Il me semble qu'il y a beaucoup de courage, des lâchetés – et du courage encore. Mais là, je ne sais plus. Il me semble que pour un long temps, des semaines, des heures, des secondes, il sera impossible de désirer quelque chose – d'oser vous proposer un geste.

Loin et près – les alternances ne sont pas assez régulières.

J'ai eu probablement trop de désirs.

Fleur forte ou fragile.

Vos notions de l'amour sont si uniques.

Est ce que vous aimeriez que l'on vous perde de vue?

Frère, âme noyau destin.
Et source qui me fait fontaine
douce, murmurante fondue en toi.

Porte-toi bien, beau navire

Encore un peu Moi.

[Pauline]

***

[*Circa* octobre 1962]

De correspondance en correspondance me voilà tentée de vous écrire. Celle de Lehmann et de madame d'Agoult[22] devient peut-être ennuyeuse à la longue. On verra pour la mienne et la leur aussi. *Cléo de 5 à 7* – est une petite merveille douce et japonaise presque aussi – que je reverrais tout de suite demain!! sur un grand écran, naturellement avec vous de préférence. Me voilà depuis une heure ou deux assez tendue… comme nous avons connu quelques heures à peine des abîmes de douceur. – j'essaie d'y plonger un peu la main pour en retirer de quoi me faire frémir. Pourtant le soir est beau, un peu frais, annonçant l'automne, j'essayais de régler mon pas et ma respiration sur cette idée, ou sensation, mais les petites boules un peu partout n'arrivaient point à fondre.

Ce matin, plus tard… j'avais fortement envie de ne vous voir jamais plus. Je verrai si je résiste à vos belles tours d'ivoire – et à nos eaux bouillonnantes successives – et je vous laisse effeuiller cette marguerite.

Dormez bien. Je crois que je vais mieux dormir aussi.
Ah si je savais qui je suis.

[Pauline]

* * *

[*Circa* octobre 1962]

Je reçois votre article, vos articles. Vous me plaisez beaucoup – et puis vous êtes très blessant. C'est comme pour eux – vous vous lancez dans une théorie, la tête la première vous écartez tout raisonnement autre… pour après, avant de mettre le point final, lever un peu la tête, dire… naturellement « s'il ne se lave pas les pieds… » Alors toute votre théorie, votre échafaudage, votre construction même s'écroule, parce qu'il y a eu le passage de cette petite brise… et vous êtes assis là bien tranquille tétant un foin et jonglant avec d'autres mots déjà – au milieu de décombres.

Ô ma tranquillité
Ô ma sérénité
Ô ma sagesse.

Comme cette position vous plaît. *Ben* tant mieux. C'est extraordinaire, voilà un aspect bien établi, et c'est reposant de vous regarder… mais… essentiellement… avec autant de valeur « humaine ». Il y a aussi d'autres façons d'être – sur des positions je crois aussi fortes. – Clignez de l'œil de temps en temps vers eux – quitte à regagner votre place après… Mais avant, « jouez un peu aux quatre coins » (de mon enfance). Vous vous y êtes un peu essayé, une fois très gauchement, et très vite anxieux de regagner votre coin… Peut-être, alors, sans avoir le temps ou la possibilité de goûter et d'être *ben* ailleurs – tellement pressé de vous retrouver dans votre *organisation*.

Les Dieux vous contemplent – c'est ainsi.

Une caresse est une caresse – elle peut faire frémir. Mais qu'est ce frémissement !

À côté de cette grande paix, de cette sérénité aussi complète – adhésive – en présence de l'autre avec qui on est bien. Ce n'est pas si facile – et tout à coup oui on est bien, parfaitement bien.

Vous l'êtes sans « l'autre », c'est merveilleux, ne parlons plus maintenant entre nous que de théorie – et comme je suis du sexe faible, si vous voulez bien, vous me tendez la perche, vous guidez mes pas comme vous savez si bien le faire, d'un trottoir à l'autre… et vous me refilez le dernier film du jour, ou le très ancien… redécouvert au mitan de votre philosophie. Moi en échange, comme un oiseau, je vous apporterai des « brindilles » au parfum inconnu… et des gouttes de rosée fraîches… qui glisseront de ma bouche à la vôtre.

Au revoir – frère.
Pauline

***

[Octobre 1962]

Telle quelle, écrite dans le délire d'une nuit d'octobre.

J'aurais voulu la sceller de mon sang!! mais à cette heure, je répugne à cet acte qui manquerait de spontanéité. Vis-à-vis – ce cri qui l'est tout entier.

Mes hommages.

J'entrevois votre petit sourire d'aise... c'est agréable.

[Pauline]

***

[22 octobre 1962]

Ma maison n'est pas encore remise du beau désordre qu'on y a fait que déjà je vous écris.

J'arrive de Québec où j'ai vu ces hommes primés et leurs femmes se précipiter sur eux pour les embrasser. Jean Lemoyne le sourd, ce qui a causé une espèce de malaise car il n'a pas entendu son nom quand M. Lapalme l'a dit. Il y a eu plusieurs très longues secondes d'angoisse, surtout chez ceux qui le savaient sourd et craignaient de passer quelques années debout dans cette salle où crépitaient les magnésiums et où s'entassait la haute cuisse québécoise. Gilles Hénault[23] et son épouse[24] que pour une fois j'ai trouvée belle, j'entends posée, calme, l'air heureuse et surtout habillée d'une robe orange qui la rendait séduisante. Elle a de fort jolies jambes, un peu grassettes et dans lesquelles j'aurais mordu, ou plutôt que j'aurais caressées. Et la grande Filion[25] et son petit Jean-Paul[26]. Elle est habillée de noir, courant entre les gens comme une cavale riante.

61

Et moi, à genoux devant eux, prenant des photos d'eux, de face, de profil et de cul. Je me suis juré que je l'aurais un jour, et je me suis dit en même temps que tout ça ne valait pas le coup et qu'au vrai ce n'était pas pour cela que j'écrivais mais bien parce que j'aime les pages qui s'accumulent et racontent des moments et des vies.

Et suis revenu seul dans ma bagnole. Je ne suis jamais aussi malheureux que quand je traverse des villages déserts la nuit en voiture à 85 milles à l'heure. J'ai l'impression de couler très vite dans un océan sans fond, trop vite pour me retenir après quoi que ce soit qui d'ailleurs ne serait pas assez fort pour me retenir, algues ou poissons.

Je répugne à vous écrire dans ce moment de tension sentimentale. Vous êtes encore là sur ce divan, encore là dans ma chambre et votre valise est par terre près du poêle et sans fin nous entendons les mêmes disques et nous ne vivons que pour nous et nous partons et les mélèzes ne sont plus des mélèzes mais des raisons de nous parler, de nous caresser, de rire et d'être heureux.

J'ai besoin de ces maudites chansons vachement sentimentales de Ferré ou un autre qui me triturent le cœur et me fassent croire un instant qu'il est possible d'être constamment heureux.

Je répugne à écrire, à penser même, en ces moments d'abandon de tout mon être à ces sentiments que je vous porte.

Mais vous êtes là en moi, tellement charmante et douce, tellement belle et nerveuse tout à coup et ensuite et pourquoi pas, si l'on s'aimait et l'on s'est aimés et l'on a vécu comme des fous, de samedi à lundi à la fin d'octobre.

Et comme dit rimbo

« je ne parlerai pas je ne penserai rien
mais l'amour infini me montera dans l'âme
et j'irai loin, bien loin comme un bohémien
par la nature – heureux comme avec une femme »

Et voilà, tout est dit.

Et ce soir dans les journaux, on parlera de la guerre car Cuba fatigue les USA bocou et Patrick[27] et nous, nous passerons *Cuba Si* dans quelques ciné-clubs. *Cuba Si* qui est favorable à la révolution et la bombe nous tombera sur la gueule, comme dit Ferré, pendant que nous essaierons de montrer à 350 personnes dans une salle de Trois-Rivières que rien n'est simple, ni vous ni moi ni Cuba.

Braves comme les morts
Je me mets à écrire comme vous

gérald

***

Vendredi [26 octobre 1962]

Au fond je n'ai rien à vous dire, tout en moi est si clair, si ordonné, mais le soir, le soir en me couchant (je ne peux pas toujours vous appeler, et pour quoi dire encore) – la même chose – beaucoup de choses

– sur le jour, le froid, le travail – et votre présence en moi.

J'ai toujours très peur de vous ennuyer. Croyez bien que je cultive cette attitude d'être portée, de me laisser porter… par des certitudes qui furent. Mais je me garde de n'en prévoir aucune autre

Le présent, le présent.

———

Sherbrooke [29 octobre 1962]

Votre présence est là intacte. D'un seul jet être dix mois en arrière. Les sapins sont couverts de neige – les routes aussi, la tempête, ce lit où je couche nue.

Pourquoi désirais-je tant la nuit vos bras et cette quiétude qui nous accompagne au long des heures…

Aquarium[28] est bon, très désespéré, style clair, personnel – détaché. J'aime votre chandail vert qui me tient chaud comme un peu vous.

Love sweet darling thing.

Le temps des japonaiseries est passé, je vous écris tout ce qui me passe par la tête.

Je désire tant cet œil complice du quai de la gare en essuyant vos verres – ou du buffet, le rire.

Que diable – Andrée Pauline de *l'Aquarium* !

Aimeriez-vous me dire que je suis belle ?

Les salles débordent à Sherbrooke. Me voilà toujours étonnée, pourquoi ? et je chante – heureuse quand je pense à vous – et puis souvent hautaine et dédaigneuse (trop) quand je me retrouve isolée, et que je ne sais rien de demain. C'est une façon de lutter. Ce soir j'essaierai d'être douce. Mais vous n'êtes pas là – et je me raidis. Qu'en pensent-ils ! ! Il faudra quand même que je chante plus humble et douce.

Saluts.
À tout à l'heure.
[Pauline]

* * *

Mardi le 30 oct. 1962

Ça, je vous l'envoie quand même. C'est écrit il me semble il y a longtemps.

Hier soir c'était la tempête venue de je ne sais où – et qui dure encore, tremblante soulevée – ma tête reste froide – et j'ai honte de presque tant d'impudeurs.

Ça passera, ça passera – aujourd'hui, demain, plus tard peut-être.

Je vous en prie, ne vous fâchez pas, et ne soyez pas ennuyé. Je vous dis que ma tête reste froide.

C'est probablement cette alternance de savoir que tout est bon – d'être si bien – et puis cet éloignement – ce vide – où tout peut s'engouffrer – y plonge – alors ce silence, ces bras vides – toute cette vie qui désire vos raisonnances.

Encore une fois, je crois que je vais vous dire dites-nous ce qu'il va falloir être. Ne soyez pas dur, il y a ici Bernard Vanier[29], Nanouche[30], Giguère[31] – que j'aimerais que nous connaissions mieux ensemble. Il y a Bécaud en première en fin de semaine. Il y a des films, du théâtre – et moi qui peux aussi aller vous rejoindre

Il y a ce que vous seul savez.
Pauline

**

[*Circa* automne 1962]

Vendredi matin
Saluts, mon âme, mon frère

Hier soir je t'ai appelé jusqu'à 1 h. Tu n'étais pas là. Je lis, travaille, suis chez le coiffeur – et ta pensée est toujours – du moins ta présence est dans la mienne. Tout cela tu le sais un peu. Dois-je m'excuser d'avoir envie de te le redire? C'est peut-être de la fatigue, une inquiétude – tant de choses à faire encore et encore à des points de vue multiples, que je me sens faible et avec l'envie de me réfugier dans ce regard que tu as lorsque tu me caresses – ce regard un peu éperdu que peut-être j'ai aussi – et dont je me souviens si intensément depuis deux jours. Ce regard quand tu sens que tout va bien, et qui te guide vers le «perfectabilisme».

Ange.

Tes poèmes sont beaux – je les lis et les relis. Ils sont toi – ce toi dont nous ne parlons pas mais que je devine et que tu sens que je sais.

J'aimerais par toi aller encore respirer et sentir l'eau ou les fleurs – l'herbe. Mais sans que cela soit toujours limité, pressé par le temps.

Le soir seule dans mon lit j'entends les bruits de la ville et je me sens perdue terriblement. Voilà de la femme plus délicate.

Par toi aussi, je me rapprocherai des réalités, de sources – mais avec toi je t'en prie.

Ne sois pas trop pudique pour me parler de nous. Tes mots, tes regards me sont là comme les pierres pour traverser la rivière.

En fait ceci était pour te parler de ce regard – qui m'est tellement présent ce [*mot biffé*] mercredi matin.

À tout de suite
Pauline

***

[Décembre 1962]

À travers le brouillard des jours qui s'épaissit entre nous, j'appelle vers vous.

Est-ce vraiment vers vous, ou de par moi ce gémissement ? Comment le saurai-je puisque peu à peu dans la nuit, votre contour se perd, et dans l'ombre s'éclairent par alternances une main, un rire léger – des cils longs et touffus – et cette voix tendre qui révèle les profondeurs les plus amoureuses – et tout à coup inflexible dresse ces murailles infranchissables.

Cet amour, ou comment qualifier cet état jamais encore connu en moi – qui grandit, s'alimente de vous, longtemps après votre dernier départ – qui consume toute tentation de «connaissance» autre – même dans le désir le plus simple et le plus naturel – cette « soif de votre être » qui se promène effrontément en moi, indépendante de moi, indépendamment de moi – et qui surgit au moment où l'on se croyait à cent lieues, et qui se tapit des « temps entiers » (à faire croire qu'elle serait à jamais disparue) – pour ressortir, insaisissable.

Mais, mais… le reste devient sans importance. Seulement ce beau passage du très beau Maïakovski :

La question du printemps
....
Car enfin toutes les autres questions sont plus ou moins éclaircies.
celle du pain
                celle de la paix aussi
Mais
                cette question cardinale
                du printemps
        il faut
        coûte que coûte
                la régler sur-le-champ – 1929.

Adios.

[Pauline]

***

[Décembre 1962]

Cette journée, cette soirée – la vie, la mienne. On est peut-être tous un peu repliés.

Ce matin, tu pars. Mais c'est encore bien parce que nous sommes tellement d'accord, et ta force est grande, grande. La mienne!! Au stade de la contemplation – stagnation, un peu plus... Patrick, Lucile[32], Marcel Barbeau[33] défilent. On mange. Mais je veux être seule pour régler des détails, des détails, détails... peut-être arriver à une chose plus essentielle.

Je vois un «kiné» que tu as vu au gala du concours de la chanson – cela m'apparaît inutile – un peu plein de tics. La ville un peu froide... un verre de champagne au bistrot. Mais je n'arrive pas à cette détente. Je veux me retrouver seule.

La mort du chat – c'est idiot mais très triste... une petite mort... une autre... Chez Claire, pour casser la croûte, des histoires. Puis Jean-V.[34] nous y rejoint. Nous parlons de Vol Spatial – du fameux barrage Manicouagan. Jean-V. est poète, et malgré son «ennui» présent, s'emballe. Mais je ne communique pas vraiment. J'aime mieux partir. Le chat, la maison vide. Ton coup de fil. «Je t'aime beaucoup.» C'est peut-être bête de tant désirer, d'avoir tant besoin de se sentir aimée par l'homme seul qu'on aime... pour se sentir réchauffée un peu. Cette pénétration lente et profonde de nos cœurs, nos esprits, nos corps est la seule qui me comble. Peut-être suis-je comme tu dis «trop paresseuse» pour les autres. C'est l'épiderme seulement qui est touché – ce serait trop long. Je commence à lire *Les chardons du Baragan* de Istrati[35], livre terrible sur la misère de la Roumanie en 1906 – mais je dors. Une heure après, bruit de ferraille terrible comme chez toi l'autre nuit. Je me lève, m'habille. Coin

Saint-Marc, Sainte-Catherine, un autobus, une voiture, un homme éjecté. Peut-être la mort. Chacun rentre chez soi. La mort, le destin. Ce bouquin que je termine. Puis ce goût de te raconter.

Tu seras peut-être un peu dégoûté de cette lettre. Les pensées de l'autre jour après le cinéma – puis L'Homme est l'Unique Merveille du Monde. C'est vrai – mais sa souffrance.

Cette maison vide est lourde et belle à la fois. Mais je me sens énormément responsable de Pascale et Nicolas[36]... Tout à l'heure je vais redormir lourde de fatigues, et dégagée de t'avoir parlé. Je pense – quand on cessera de s'aimer qu'arrivera-t-il? Je pense aussi que malgré toutes les possibilités puisque je suis tu es... l'Unique Merveille du Monde – je suis bien indigne et pas à la hauteur. Mais il y a le «Cantouque d'amour»... et les autres, les autres.

Saluts Petit Père
Pauline

***

[*Circa* hiver 1962-1963]

'Soir mon doux et tendre ami.

Impossible de travailler. Je vous réclame de toutes parts... et pour vous entendre de plus près. Je me mets, pour la première fois, à relire toutes vos lettres.

Si le temps n'existait pas... entre les lignes et par les mots – vous me caressez bien souvent il me semble – comment ne pas comprendre le comble de nos présences, et cet immense besoin de liberté qui est vôtre.

Si une certaine sérénité, qui m'inonde quand vous êtes là, pouvait ne vivre que dans cette profonde certitude – comment en effet pourrais-je m'inquiéter des heures, des jours – puisque vous êtes là en moi, et que je nous sens en confiance pleine – heureuse.

Essayez de ne pas vous irriter que je ne sois que comme je suis – mais vous le savez il y a tout en moi cette part de compréhension totale. Mais quels sont ces démons... *[suite perdue]*

[Pauline]

***

[*Circa* hiver 1962-1963]

C'est la même question, et c'est toujours un peu la même chose aussi quand je vous téléphone. Naturellement vous comprenez...

Ah la belle jambe que voilà! Le jour on se distrait ou du moins on essaie – ou bien alors c'est si fort – et je vous appelle – un bien un mal – est-ce pis – est-ce mieux – cela dépend – et puis je vous rejoins ou non – la nuit comme ça à 4 h du matin – il fait si froid – il ne s'agit pas tout de même de vous tirer du lit à cette heure-là.

Vous ne devriez pas me dire je vous appelle tout à l'heure – en fin d'après-midi – et puis ne pas le faire.

C'est un peu pour empêcher le cafard de m'envahir aussi que cette nuit je vous écris – les mots, les pensées qui sont bien marqués ici – vont peut-être se détacher de moi.

Ne rien demander – être – attendre. C'est tout de même très difficile, puisque cette joie, et ce comble semblent être là – presque à portée de la main.

Et puis malgré tout – malgré notre «plaisance» à être heureux du présent – du moins entre nous de ce qui quelquefois «se comble», j'aimerais tellement vous parler un peu du futur, de mon travail, de ces projets qu'il faudrait ébaucher – et pour lesquels quand même j'aimerais que nous soyons d'accord. Du moins vous demander votre avis.

Peut-être déjà – je demande trop – naturellement.

Je vais me remettre à vous attendre – sans vous attendre – à essayer – c'est un travail à la milliseconde.

Illusion ou non – la pensée de ce futur où le présent prendra place, où je pourrai être comme quelques présents passés – parfaitement heureuse.

Si vous me les ouvrez,
je me glisse dans vos bras.

Pauline

Comment se joue
L'ANNÉE DERNIÈRE À MARIENBAD

Et puis ce coup de fil ce matin.

Une envie terrible d'être seule avec vous. Que tous partent – pour être seule avec vous, un long moment encore.

* * *

[Fin mars 1963]

Saluts Beau Mâle,

3 h 30 du matin, le beau peignoir rose – la maison que je redécouvre silencieuse, presque offerte – et cette lettre que je t'ai écrite en pensée tout le long du voyage… qui n'a plus qu'à s'étaler devant toi.

Tu dors avec l'oreiller en fusil dans tes bras, maintenant assis peut-être sur ce «tuant» canapé bleu.

Tout le long du voyage JE NE T'AI PAS PERDU DE VUE (style Salinger bien sûr) – parce que je nous voyais là – moi belle tu as dit, et toi aussi très doux, la chemise ouverte, blanche, presque romantique.

Bel Ami de toutes les couleurs. Je veux t'accepter et nous accepter de toutes les couleurs.

Une envie folle de t'écrire, de vivre, de mordre à tout – de te raconter tout.

Et comme tu dis d'être déjà très heureux de tout ce que nous sommes – trois nuits trois jours dans quinze, c'est presque un miracle.

C'était un voyage rapide, et un peu terrible à 10 milles de Trois-Rivières, deux voitures «embaumées» l'une dans l'autre, la mort rôdait encore. Deux et trois autres «tête à queue» –

au long de la route. Après Berthier, un brasier immense, un bowling qui brûlait, et ce sacré Salinger qui parle tout le long de son livre d'utiliser son ego mais à bon escient.

Libre, libre tu es – quelle grande chance aussi. Libre, libre de nous aimer.

Plus rien pour ce soir. Repose-toi – d'à ce qu'il paraît de ce que je vous fatigue un peu trop.

Doux doux nid. Il y avait une fois, deux fois, trois fois tant de douceurs. «La peur a cloué son bec», dit une mauvaise chanson.

Chastement je vous embrasse.

Votre doulce maîtresse.

Le temps court, court, court.
Je vais chanter au N.P.D.[37] les bains
Et vous embrasse.

[Pauline]

***

[29 mai 63]

Très chère Pauline,

«Est-ce que vous aimeriez que l'on vous perde de vue?»

Je crois bien que c'est cela.

Quant à vous, votre intelligence me plaît. Celle par exemple dont vous m'avez donné la preuve dimanche soir au téléphone, je crois.

Et si je me souviens des meilleurs moments que nous avons eus, il s'agissait presque toujours de ces échanges d'idées, de ces poursuites mutuelles, réciproques où je traquais parmi les mots, entre les phrases que vous disiez, une nourriture à réflexion et à dialogue entre nous deux.

Je traquais votre esprit où le cœur tient une grande place, c'est naturel et nous pensions, tous les deux.

Quant au reste, je vous avoue qu'il m'effraie un peu. Ce n'est pas vous qui m'effrayez, entendons-nous bien, c'est ce qu'implique le don total.

J'ai en piètre estime les débordements. Or ils sont inévitables, semble-t-il. Ils sont le verso d'un recto qui est plus que tout à ma convenance.

Touriste je suis, touriste je suis destiné à rester – malgré les tentations, les charmes, la fascination que peut exercer l'engagement.

«Et si le remède était une vie solitaire de temps en temps?»

Est-ce que j'aimerais que l'on me perde de vue? Oui – pour mieux me et te retrouver.

Je sais que ce peut être inhumain, mais c'est ainsi que je suis destiné à survivre.

Dors bien
G.G.

P.-S.
Au sujet de Pilon[38], il y a en effet confusion possible. Les 22 poèmes de *Pour saluer une ville* sont les poèmes du quatrième chapitre du recueil – qui a donné son titre à tout le recueil.

***

Première impression pour Gérald Le super-magnifique.

Elle est ignoble ta lettre, elle est impersonnelle, elle est dure. Elle « flotte » comme tu dis – elle est seulement pour toi. TOI – ou pour n'importe qui. Pour la Postérité. Mais moi TU M'AS PERDUE DE VUE en diable.

Je l'ai lue une fois. Je vais dormir, la relire plus tard – peut être verrai-je ce fameux entre les lignes. Pour le moment, je n'ai pas envie, car tu es comme celui qui ouvre la bouche, qui va parler – tousse éternue chante siffle... souffle, rote et dit « embrassements » en se retirant.

Une chose pourtant séduisante, ta propre écriture. Tu vois où j'en suis cher Seigneur et Maître – malgré vos distances, vos reculs... vos gifles, votre froideur – chrisss j'en suis à baiser la main qui se tend. Non pas qui se tend... mais qui malgré tout est là – même avec un doigt manquant. Si je poussais – dans le sens contraire de vous. Mais alors vraiment, je vous dirais. Vous auriez pu au moins, par un relent de gentillesse, me garder ce bout de doigt... qui serait quand même un peu de vous.

Douceur – hélas... ce n'est pas vrai. Je ne l'aurais même pas mangé. Qui – les femmes Dieux. « Attendez-moi » – Attends-moi. Attends-moi – quelle facile illusion.

Je ne vous attends pas mon cher – je suis là toute, présente, tout de suite LÀ – plus en OS qu'en chair – mais tout de même – y a des rondeurs.

Oui je suis là, dans le temps. Salinger dit (je lui écris d'ailleurs) la vie «ma fille», c'est plus rapide qu'un sablier... on n'a pas le temps d'éternuer... et c'est déjà terminé.

Cher Amour qui bravez le temps, sans peur et sans reproche, acceptez mes humbles, très humbles hommages et mon admiration adéquate.

Vostre, Pauline

***

[Été 1963]

my dear Paula

What is life – what is reality?

Charles Aznavour répond à ces 2 questions dans sa chanson *Les 2 guitares* – ou plutôt, il pose les mêmes – sans y répondre.

What is life? what is reality?
Words – words – words
Des mots
Et de mille mots accumulés, un jour naît life, reality and poetry.

Et peut-être de 1 million de mots accumulés.

Anyway «life» cannot être comprise en entier dans un seul mot, ni «reality», c'est ce qu'il faut tenter de réussir.

Qui saura jamais si «life and reality» sont dans le milliard des mots qu'à cinquante ans on aura accumulés? Les poètes doivent donc croire en Dieu – il est notre seule chance.

Quant à toi, tu fais partie de ce Dieu, d'une part et d'autre part, tu es aussi poète et tu accumules des mots et des airs – avec cette différence que cela passe, et ne touche qu'une fois – c'est précisément là où nous nous distinguons tous les deux – ta fin est dans ce qui passe – tu fais des choses qui restent, des choses qui passent tandis que je fais des [choses qui] passent, des choses qui restent.

L'amour dans tout ça n'est qu'un mot de plus auquel j'ai depuis longtemps passé outre – car qu'est-ce qu'un mot sur 1 milliard?

Anyway, tu es là, tu existes, chose où les aplats le disputent aux hérissements, âme en mouvement et fixe, vivante dialectique où le tout et le rien alternent.

Je me réfugie peut-être dans les formules sibyllines – du moins il peut en sembler ainsi – mais j'ai horreur du pétrifié – je veux laisser à tout et à toi.

Tout ce que tu es, tu as été, toutes tes virtualités d'être, tous tes hérissements, tous tes aplats, sans en forcer aucun, sans pousser rien, pour te voir un jour, la somme ou du moins le début de la somme de ton existence, le début de la somme de toi.

Gérald

Je joins mon manuscrit – garde-le précieusement. C'est la seule copie que j'en ai.

***

[*Circa* été 1963]

Tu es sage, doucement, comme je te l'ai dit ce matin. Impression de mieux absorber ta façon ou plutôt la vraie façon intérieure de regarder. Prends ça comme tu voudras, ne laissons pas d'équivoque entre nous. Je veux essayer de ne te rien demander d'autre. Seulement c'était très doux l'autre nuit après Val-David.

Depuis lundi – je réfléchis beaucoup à ce que justement le fait de chanter peut apporter aux autres. C'est important pour la force et la solidité que cela me donne et que je pourrais retransmettre.

Il est question d'une tournée à Cuba, c'est vague. Un autre témoignage après le N.P.D. Une drôle d'expérience aussi. Je retravaille beaucoup d'espagnol.

L'équipée à cheval était belle. Claude Lyse Gagnon[39] avec qui nous étions est une experte, m'a guidée – et est toute surprise de mes audaces et mes progrès étonnants… Nicolas lui nous dépasse tous.

Comme je te l'ai dit, la maison sera entière à nous dès samedi matin… tu pourras lire, écrire… te taire, me taire… si tu viens.

J'ai très hâte de lire ton manuscrit. As-tu été obligé à des concessions par Clément Marchand?

Voilà. Âme remplie de voiles – triste moi qui réclame à la fin ma Petite Âme.

Permettez-moi cher Monsieur que je me hausse sur la pointe des pieds et que le long de vous j'embrasse votre bouche rouge.

Oui

[Pauline]

***

[*Circa* octobre 1963]

Je t'aime mon amour et plus qu'hier… différemment – c'est dans la nuance et la profondeur. Tu es beau. Y faut pas trop m'en vouloir de ce que tu sais. Toute cette année en paix avec toi et moi et le Québec.

Po

***

[Octobre 1963]

Bonjour mon ami Gérald…

Peut-être, peut-être, enfin aujourd'hui je désire que vous soyez mon ami. Il fait doux et je vous imagine en bateau à voile[40]… moi je suis en bateau à draps. Il faut regarder plus loin, plus loin, les détails immédiats ne sont pas intéressants. Je me souviens d'avoir fait du bateau à voile. C'est doux et violent à la fois. J'ai l'image de nous deux qui roulons quelque part sur un lit.

Connaissez-vous le théâtre d'Arrabal? Je le découvre, il me stupéfait, me ravit, me révolte – tout à la fois. J'en discute beaucoup avec Marthe Mercure[41]. Il est question de le monter à l'Égrégore[42]. Je pense à vous – et j'ai bien hâte d'en discuter avec vous. En lisant Arrabal, j'ai des idées de théâtre… que vous pourriez écrire. Les heures passent. Je continue à lire ce théâtre qui est cru, intellectuel. Je ne sais plus quoi penser sinon à vous que je vois sain, brutal, égoïste et ferme – une définition intempestive et rapide, valable dans cette seconde. Malgré le langage très nu et dépouillé d'Arrabal, peut-être a-t-il raison, il ramasse les idées du monde – de la Rédemption – avec ce langage moderne, le nôtre qui attend, s'inquiète, cherche, peut-être pas le vôtre ! – puisque vous voulez, vous êtes satisfait.

C'est tout, à tout à l'heure, je reviendrai vous parler encore un peu.

Saluts,
Il était une fois.
The Queen is dead
Viva the Queen…
Décidément j'ai peine à me réconcilier avec un moi qui n'est pas en santé.
Ah. La santé, mon cher.
Pourvu qu'on ait la santé ! ! !
Il me souvient d'avoir glissé sur des eaux quelque dimanche passé.
Mille fois une Autre.

[Pauline]

* * *

[17 novembre 1963]

Saluts, chère Péji,
La chanson qui porte le N° 1 correspond à peu près à ce que je veux faire qui soit près, très près du blues. Des mots très simples, des mots quotidiens.

Ce qui compte, c'est ta voix. Il faut qu'on l'entende ta voix, un jour, dans tes maudites chansons, tu comprends. J'ai compris ça cet après-midi. Le texte, c'est bon pour le théâtre. Dans la chanson, c'est la voix. Et si tu pouvais meubler de rythmes purement vocaux, ce serait encore mieux.

Ce que je t'envoie là, c'est de la matière pour jazzer beaucoup.

Tu peux faire que chaque couplet soit formellement semblable aux autres. Ajoute ou enlève ce que tu veux. De toute façon, il y a là un climat, et c'est tout.

Une femme abandonnée, qui joue les détachées, puis se reprend et enfin avoue qu'elle vient de mourir quand la porte s'est refermée sur l'homme qu'elle aime et qui est parti. C'est l'idée que j'ai voulu rendre.

J'ai aussi trouvé un poème de Robert Goffin, en vers libres dont je tirerai peut-être une chanson avec des phrases, cette fois, du texte, mais assez marrant. Ce ne sera pas le poème de Goffin, c'est entendu, mais il y aura des vers entiers de lui.

J'envoie aussi une patente de Jules Romains, inconnue, qui ferait une belle chanson et qu'il y a moyen de faire jazzer. [*Illisible*]

Je te téléphone bientôt, saluts

Bises prolongées gg

***

[Décembre 1963]

Gérald. Ce n'est pas tellement que j'ai envie de vous écrire, mais devant ces grandes tempêtes qui me traversent, il faut que je vous le crie. J'ai bien peur de ne l'avoir jamais cette paix, cette belle paix, cette paix idiote dont nous parlons, et dont je me leurre de pouvoir la posséder un jour. Je ne vous vois plus, je ne vous touche plus. Je sais que vous avez les yeux verts, mais aucune douceur ne m'atteint. Une seule chose reste, le respect enfin que j'ai pour vous de votre besoin de solitude, de parfaite maîtrise de vos actes et vos pensées, votre paix acquise où vous êtes. Mais pour moi je n'y crois pas – alors j'aurais envie de dire séparons-nous tout de suite – voilà à quel point je suis fragile, et peu stable.

Il est 8 h du matin. Le lit. La rue Saint-Marc. Les enfants qui ne sont pas là. Claire Richard très gentille. Mais un «bruit» qui n'est pas le mien. Je vais me lever, peut-être irai-je dehors pour le petit déjeuner, me rendre compte d'où viennent les bruits de la rue. Où vont les autres – eux. Ne vous leurrez pas non plus. Par quel besoin d'expérience ou d'expérimentation vous arrêtez-vous près de moi aussi! Je suis injuste, un autre je voudrais le blesser, lui faire mal, je sais tellement bien que vous ne pouvez m'atteindre que librement, sans aucune contrainte. Au revoir. Il faut savoir ceci et aussi cela.

[Pauline]

* * *

[*Circa* 1964]

Oui oui oui
    raison raison raison
        plus plus plus.

Salut.

Je lis dans le dernier *Planète* «… une seule chose est sûre aujourd'hui nos notions actuelles de l'amour sont dépassées».

Alors alors alors. Je sens que vous contribuerez à repenser – ou à énoncer – d'autres notions.

Ouais. J'avais plaisir à vous parler ce matin. La difficulté consiste à élaguer, toujours, et à ne pas perdre le terrain gagné d'arrache-pied. J'entends – cette notion de sentiments – ces vieilles habitudes du cœur.

Ce crayon rouge pour la commodité et probablement en hommage à ce jour. Respects à vous pour votre travail – votre ligne de conduite et votre pensée surtout.

Trouvons ensemble les nouvelles notions de l'amour peut-être. Ne nous laissons surtout pas émouvoir par un cœur en 1962. Alors quoi? faut-il renaître – ou se suicider – une moyenne – et cette rencontre – avec vous peut-être – et les autres.

Mais la bouche et les lèvres en 1962… devons-nous y renoncer?

Pauline

* * *

Montréal, 28/29 mars 66

Ma Pauline
      Tu es partie, il y a 5 heures. Il est minuit et demi.
Je suis encore sous l'effet de l'enivrement de tout
à l'heure avec toi. Je suis tué de fatigue et de
sommeil. J'arrive d'une réunion du PSQ[43] où j'ai
rencontré des gens bien intéressants. J'ai énormément
confiance en ce parti. J'y ai fait la connaissance d'un
nommé André Cardinal, un mélange de passion
et de réalisme qui caractérise la nouvelle gauche
québécoise. La foi en même temps que la santé
logique, la santé de la raison. Il s'occupe d'organiser
une section dans Saint-Henri, j'ai une grande
confiance en lui. Il m'a avoué qu'il avait peur, à
chaque fois qu'il parlait aux gens. Je me suis senti
entre amis.

Je t'embrasse, à demain

29/30 mars 66
minuit et demi

Ces départs sont curieux. Ils confèrent une espèce
d'irréalité à ton existence. Tu es là et puis hop, tu
n'es plus là. Ton odeur et ta vie sont encore partout
dans la maison. Je t'ai presque téléphoné à 11 h 30
cet avant-midi pour te demander si tu étais libre pour
le dîner, mais tu n'étais plus là. La seule différence
si tu étais morte, c'est qu'on va se retrouver dans
5 semaines, mais pour le reste, c'est probablement la
même chose. Sauf aussi que je ne t'écrirais pas. Ou

peut-être que si. Sait-on jamais avec les écrivains –
J'ai écouté Coltrane[44], Christ que c'est beau. J'ai lu
du Godard[45], Christ qu'il est intelligent, détendu,
sûr de lui, comme un *jet* dans l'air.

J'ai adressé des bulletins de commande[46] à
nos souscripteurs. C'est cette partie du travail
que j'appelle de l'action, par opposition au travail
d'intellectuel qui m'occupe tant et que je fais si
mal.

Depuis des années, je songe à faire œuvre de
philosophe, à m'élucider moi-même, à voir qui je
suis, et je n'arrive pas à me concentrer sur moi. Le
monde autour m'intéresse trop.

Je voudrais aussi en arriver à connaître la langue
française mieux que les linguistes. Il me semble
que ça m'aiderait à faire de la meilleure poésie et à
écrire mieux. Et puis non, je me dis aussi que ce qui
compte, c'est la vérité, tout simplement et rien de
plus, même si on écrit mal comme un pou.

Je vais commencer une série, je crois, «La
colonisation quotidienne», dans *Parti pris*. Dans
l'esprit de Frantz Fanon que j'admire tant.

Quant à toi, je t'aime peut-être plus que lors de
ton premier séjour. Je t'embrasse avec une tendresse
profonde.

J'ai dormi comme un loir hier.

Gérald

***

Montréal, 1er avril 1966

Mon amour, ma dauphine, mon adorée,

Ainsi tu es partie si tôt pour Paris pour rien du tout, ou plus exactement, pas pour les engagements prévus. C'est con. Mais aussi Françoise Lô[47] veut que tu sois là le plus tôt et le plus longtemps possible, c'est normal. Qu'elle ne t'ait pas écrit, je trouve ça con. Mais enfin, tu la vois, tu verras de quoi il retourne.

Quelle semaine épuisante, je suis en train de crever. Menuisier, peintre, tapissier, j'ai été tout ça depuis 3 jours pour ce Salon du livre qui va nous permettre de boucler le budget des éditions pour cette année. Tout ça est important et ne l'est pas.

Après la soirée au Salon du livre, réunion chez les Giguère où se trouvent les Bellefleur. J'aime de plus en plus Roland. Il dit pourquoi il aime mieux vivre ici qu'à Paris, il se sent utile à quelque chose.

Montréal, après ton coup de fil

Ainsi quand ce n'est pas moi qui flanche, c'est toi. Il y a deux logiques dans notre vie à deux, la logique de l'amour qui consiste à ne jamais se quitter et la logique de la vie quotidienne qui consiste à voir comment, au bout de l'année, nous aurons vécu. Souviens-toi m'avoir dit, il n'y a pas si longtemps «Et toi, tu vas continuer à travailler de 9 à 5, à collaborer à Parti pris, à voir tes copains, mais moi? moi? dans les 24 heures d'une journée» etc. Pense à cela. Tu ne veux pas d'une vie minable, bourgeoise, ménagère, tu veux, tu voulais et tu as réussi à ne pas vivre comme les autres femmes dont tu ne voulais pas de la vie qu'elles menaient. Mais il est vrai que toi, tu n'as jamais choisi, tu es toujours et le resteras, mécontente, inquiète, irréalisée, ou le croyant. Tu veux tout ou rien. Tu es entière et je t'aime ainsi et pour ça aussi bien que pour tout le reste qui est toi. Mais tout de même. Endure la brise encore un peu.

Je veux aussi t'engueuler au sujet de tes complexes, tu n'es vraiment pas endurable quand tu m'écris j'ai les cheveux comme ci, j'ai des idées comme ça en arrivant à Paris. Christ, Pauline, sois rationnelle. Soit dit en toute tendresse. Un peu de tenue. « Behave », comme je te disais dans le temps. « Behave like a gentleman. »

Sois un homme, ma fille !

Ce soir, chez Giguère avec Miron, nous avons assisté au hockey à la T.V. les Canadiens ont battu Chicago 8 à 3, s'assurant ainsi la coupe. Nous avons tellement crié que Denise[48] en levait les bras au ciel.

Au Salon, c'est difficile et passionnant. Je crois qu'on fera quelque argent, malgré tout, et qu'on pourra payer nos dettes. Voir les gens, c'est extraordinaire. Un « frère » est venu ce matin (samedi) et m'a dit : « Vous autres, vous êtes les saints du temps. Nous autres, nous avons trouvé, nous n'avons plus la foi. Vous autres, vous l'avez encore, vous cherchez. » Il a dit aussi : « Il ne faut pas dire ce qu'on nous a appris à dire, mais ce que l'on pense, ce que l'on croit. » Je dois le revoir mardi au lancement de Ferron[49].

Je t'embrasse partout avec amour, tendresse et passion. Tu me manques. Ne me téléphone plus comme ça, je me sens trop impuissant. Mais enfin, s'il le faut, peut-être le ferai-je aussi de mon côté.

Je t'aime.
Gérald

**

Montréal, 4/5 avril 66

Mon amour,

Primo une bonne nouvelle. Roland Giguère a gagné le Prix de Montréal, 3 000 $. Il lui est remis demain soir (le 5).

Deuzio le Salon, un succès extraordinaire, je crois que nous allons accrocher les 1 000 $ qui vont nous sortir du trou cette année encore. Mais quel travail, quelle fatigue, quel épuisement !

Et toi, maintenant. Tout ça me semble vachement compliqué. Lô indifférente, CBS qui te demande du neuf, les gens ont changé et tout et tout ; voici comment je vois les choses, ou c'est Paris qui se referme et qui attend de voir si tu es tenace ou pas. Souviens-toi du nombre d'étrangers qui se sont butés au même problème à Paris ! Kanto entre autres. Je trouve ça écœurant pour toi que tu doives vivre tout ça seule alors, tu tiens le coup, tu bois la coupe jusqu'à la lie comme on dit et tu verras alors si c'est possible ou pas. Le talent que tu as est unique et il trouve sa place n'importe où au monde. Le problème est de traverser le mur. Le problème est que tu puisses chanter devant les gens. Ça s'avère difficile, il faut donc patienter et tenir le coup.

Ou alors, tu te rends compte que tout ça ne vaut pas de telles souffrances, et alors, tu rentres à la maison, tu fais carrière ici, comme Vigneault.

Voilà comme je vois les choses. C'est sûrement sommaire mais c'est probablement juste.

En attendant, reçois-tu mes lettres?

Ici, côté travail, c'est plein à ras bord, 18 heures par jour. Heureusement ça finit demain soir vers minuit, avec l'empaquetage des caisses et tout et tout.

Jeudi soir, je vais au hockey avec Maheu[50] et sa femme.

Je suis épuisé. Je ne sais plus que penser de nous deux, de ce qui nous attend. C'est peut-être la fatigue des derniers jours.

Pour la Place-des-Arts, j'ai dit O.K. à Élyse[51] moi aussi. Si j'allais à Paris le 15 mai, je reviendrais le 5 de toute manière, alors, pas de problèmes.

La chanson de Baez, je la finirai d'ici une semaine.

Tu m'écris je suis à toi si tu le veux, toute. Je le veux et tu es à moi même à 15 000 milles de distance. Mais tu sais la vie que j'ai choisi de mener. Il te faut, à toi, depuis toujours, ta vie, tes occupations à toi. Tu ne t'en passerais pas. Quand tu me parles comme ça, tu manques de réalisme. L'amour est une présence constante dans l'esprit et le cœur, mais une activité secondaire dans le temps, dans les 24 heures que nous vivons chaque jour. L'amour est essentiel, mais ce n'est pas à l'amour que l'on peut, dans les circonstances actuelles, consacrer l'essentiel de son temps. Tes répétitions, ton travail, le mien, les enfants, la revue P.P., le Parti socialiste, les éditions, l'écriture, tout ça remplit nos vies, et continuera à les remplir. Tu n'es pas la ménagère traditionnelle, mon amour. Maintenant, est-ce que ce choix que nous devons faire, cette vie que nous avons choisi de mener ne nous condamnent pas à être toujours comme nous le sommes présentement. Si tu étais ici cette semaine, ce serait très dur pour toi. Je pars le matin, on dînerait ensemble, je pars au Salon directement du bureau et je ne rentre qu'à 10 h 30 – 11 h. Dans mon cas, c'est passager, mais dans le tien? Il n'y a pas de vie à deux qui soit facile quand, comme nous, les deux parties du couple travaillent et ont besoin de leur métier ou occupation pour ne pas mourir. Ce deuxième départ de lundi dernier, en fin de compte, m'a fait toucher du doigt une chose précise : l'amour n'est pas une idée, il faut que ce soit enraciné, tous les jours, il faut se voir, se parler, se toucher, autrement, l'amour même est menacé.

Je t'aime à la folie. Mais tu me manques tellement. Je t'embrasse partout. Je m'ennuie de ta présence de jour en jour, d'heure en heure. Il va falloir réfléchir là-dessus, en parler et s'écrire beaucoup là-dessus. Y penser beaucoup.

J'ai aussi beaucoup de peine de ce qui t'arrive. Sois dure et forte.

Je t'aime
Je t'aime
T'aime

Gérald

***

Montréal, 10 avril [19]66

Ma Pauline,

Dimanche de Pâques tranquille. Pascale est au cinéma avec Marie-Hélène[52], Nicolas apprend du sémaphore en bas, j'adresse le service de presse des éditions. Un peu plus tôt, je les ai emmenés tous les trois au nouveau planétarium Dow, juste au coin de là où tu as passé près de te casser le crâne avec Alan et Nicolas.

Nicolas a beaucoup aimé ça. Les 2 filles aussi.

Grands changements dans la maison. Mon bureau d'en bas débordait, j'ai transformé la chambre jaune en bureau des éditions Parti pris. Quant à Guy, mon frère, qui la voulait pour lui, je lui dirai de s'organiser autrement. De plus, je me demande s'il ne sera pas de trop dans cette maison déjà bruyante et pour moi et pour toi, nous enfin, déjà débordés.

En fin de compte, la petite Julie n'est pas venue sinon pour les deux vendredis, comme Fabienne[53] a dû t'expliquer. Pascale en avait marre avant-hier je lui ai dit que je l'avais prévenue. Julie par ailleurs s'est entendue à merveille avec Mlle Guay, elle aidait à desservir la table, à la vaisselle et tout et tout.

Hier soir, samedi après la partie de hockey, grosse soirée chez Roland qui recevait pour son prix. J'en suis parti à 5 h du matin, il faisait bleu sur Montréal. J'étais avec Gaston que je suis allé déposer chez lui. Il m'a parlé de Paris, qu'il avait vu souvent à cette heure-là.

Toute la soirée, avec Léon[54], Rita[55], B. Jasmin[56], Denise, j'ai parlé de toi, de notre amour et de la difficulté à passer à travers tout ça. En fin de compte, complètement paqueté, je me suis couché à 6 h et ce n'est que maintenant (6 h du soir) que je me sens rétabli.

Et toi, comment les choses s'arrangent-elles ? Lô, Souplet, Tête de l'art[57], récitals, disques, comment te sens-tu ? Commences-tu à te remettre de tous les coups que tu as reçus ?

Tu verras que je t'ai fait une chanson. Dis-moi si ça te plaît, s'il y a des erreurs à corriger et tout et tout. Je crois que c'est assez direct et vrai ct ça te plaira.

Il faudrait que ce soit chanté-parlé. Si tu vois des phrases qui iraient mieux autrement, ne te gêne pas pour les changer.

Et voilà pour la chanson. Joan Baez s'en vient.

Quant à nous deux, je ne sais trop. Il va falloir être rationnel, autrement c'est le martyre.

Notre amour c'est ça
    Et nos vies

Je t'aime parce que tu veux aller plus loin, ne jamais te contenter de peu et de l'à-peu-près, d'une vie qui ne te satisferait pas pleinement. C'est ce qui te donne ta dimension comme être et comme femme. C'est aussi ce qui met un océan entre nos deux vies.

C'est con, con, con et re-con.

Je t'aime, embrasse Fab. pour moi. Donne-moi des bonnes nouvelles. Je t'aime et je souffre (comme dans la chanson), je souffre que tu ne sois pas là. Je souffre que cet amour, que je mesure mieux quand tu n'es pas là, ne trouve pas son objet, présent, là, tout près.

Je t'embrasse en grinçant des dents.
Ton G.

Je relis ta lettre une fois de plus. Je te serre sur mon cœur et mon corps une fois de plus. Et je te baise.
Gérald

***

Montréal, 14 avril [1966]

Pauline, mon extraordinaire Pauline.
Réponds-moi ! me dis-tu.
Qu'allons-nous faire ? me dis-tu.
Allons-nous nous quitter ? me demandes-tu.
Vas-tu te détacher de moi ? me demandes-tu.

Nous sommes dans une impasse. Profondément liés par nos sentiments, d'une part ; je suis d'autre part très mécontent de la vie que tu me fais mener. J'étais avec toi en terrain connu, exploré, aimé, comblant au moins la partie amoureuse de notre être et tout est remis en question, tout est entre les mains du destin je n'ai plus de prise sur notre vie et par conséquent notre amour. Un homme ne peut pas passer sa vie à
   1) attendre la femme qu'il aime
   2) se masturber quand elle est pas là. Je te parlais d'humiliation, c'est ce que je voulais dire.

Tu me demandes si je te comprends. Je te comprends très profondément. Je suis nerveux et tendu par tout ça. Notre amour nous unit, nos vies nous séparent. Nous courons un risque terrible.

Nous nous croyons trop à l'abri de ce qui nous arrive et, de plus, le destin ou la fatalité ou nos tempéraments ou nos natures ou notre essence même ont voulu que tu veuilles être quelqu'un, te dépasser toi-même et que je devienne en deux ans profondément engagé dans un mouvement qui me fait également vivre et qui justifie mon existence ici.

J'en étais rendu à souhaiter que ta carrière échoue pour que tu reviennes ici avec moi. Voilà le degré de maladie où m'ont jeté tes deux départs. Ce n'est pas normal vouloir la mort de quelqu'un pour garder son corps.

Mélo moi aussi. La plume ne nous est pas salutaire. Nous nous marrons plus quand nous parlons.

Arthur Lamothe[58] me demande un scénario. Je le rencontre ce midi. Tout ça me mènera peut-être un jour derrière la caméra. J'aimerais bien.

Quant à toi, quant à moi, quant à nous c'est dur et compliqué. « Était-ce un rendez-vous fatal que de naître en ce pays natal. »

Je t'aime

Je veux te voir, qu'on se parle enfin et qu'on sache où l'on en est.

Je t'embrasse
Gérald

***

Montréal, 19 avril 1966

Ma Pauline,

C'est aujourd'hui que toute la fatigue accumulée, Salon du livre, voyage à Trois-Rivières pour la soirée Alphonse Piché[59], m'est tombée dessus. Alors, je prends congé demain pour récupérer et finir enfin mon *Canadien à Paris*.

Maintenant, il faut que je t'engueule. Je ne suis pas capable de lire toutes tes lettres avec ces maudits somnifères que tu prends pour dormir. Quand tu m'écris, au moins fais-le clairement.

De plus, qu'est-ce que c'est que cette vie que tu mènes ? démolie, anéantie, ne trouvant plus Paris beau, ressaisis-toi mon amour. Tu es belle, tu n'es pas morte, tu as des engagements à Paris, tu as et vas faire des disques. C'est ce que tu attendais de Paris. Une nouvelle phase de ta carrière commence, tu ne vas pas la bazarder, un peu de sérieux, christ !

Tu savais que ce serait difficile, ne va pas t'étonner, que diable. D'autant plus que tu arrives à quelque chose.

Catherine Sauvage[60] va faire un disque Vigneault, la garce, essaie de la « scooper », ces chansons t'appartiennent bien plus qu'à elle. Au lieu de Boris Vian, mettez-vous donc là-dessus, Françoise et toi.

Les enfants : Pascale de plus en plus une femme mais très souvent aussi une enfant, plus jeune que Nicolas, elle joue avec ses nerfs et tu sais à quel point il les a à fleur de peau.

Quant à lui, il fait son judo, il a 14/20 de moyenne pour les sept devoirs et récitations que j'ai signés ce soir. Suzanne Lacoste fait du beau travail. Nicolas, il faut le connaître, il est «toureux» comme un renard. Mais on y arrive. Tous les moyens lui sont bons, il crie, pleure, trépigne et la plupart du temps pour cacher quelque chose, ses vrais sentiments, encore inconnus de lui peut-être, on me dit que les garçons de son âge sont souvent comme lui.

Je reviens à ta lettre, le passage illisible portait sur ta décision *re* Coggio[61], raconte-moi cette décision.

Demande bien à Françoise Lô ce que tu dois faire, si tu as raison de revenir le 1er ou alentour, pour ne pas te retrouver dans le même pétrin qu'il y a un mois. Ne pars pas en irraisonnée, tu le regretteras et me diras qu'une fois de plus tu as gâché tes plus belles chances.

Je t'écris moins parce que j'ai décidé de répondre à tes lettres. J'en avais marre qu'elles se croisent sans se parler au-dessus de l'océan.

J'étais content de te téléphoner hier soir, de te parler, d'entendre ta voix qui m'a paru étrange. On aurait dit la voix froide des grandes décisions mûrement réfléchies.

Moi aussi j'ai réfléchi, pas question que tu changes de métier. Tu as commencé, fais un homme de toi, poursuis-le.

Repense à tes nuits à pleurer avant la décision de monter à Paris. Repense à tes semaines, tes mois à pleurer. Ce n'est pas le moment de lâcher. Un peu de couilles, calisse!

– *Perspectives* te fait une couverture
– *Le Petit Journal* 3 pages
– *MacLean* une entrevue
c'est un complot!

97

Mon amour lointain, la femme de ma vie absente,
partie, ma richesse ailleurs
Je t'aime

Gérald

**

Montréal, 21 avril 1966

Ma Pauline aimée,

Mon amour, un peu de sérieux. Ton talent,
c'est une certitude pour moi depuis des années. Il
semble que tu commences à voir maintenant qu'il
y a des chances pour qu'à Paris aussi, des gens le
reconnaissent et que d'une part tu puisses gagner ta
vie là-bas en même temps que tu y trouves toutes
les satisfactions aux points de vue intellectuel, de
civilisation, de vie culturelle, d'exigences artistiques
qui te font tant défaut parmi les gens qui t'entourent
ici.

Alors, un peu de sérieux, un peu de logique.

Nous nous aimons à la folie. Partons de cette
évidence. À Paris, la chanteuse est comblée, la
Pauline à Gérald ne l'est pas. Ici, la Pauline à Gérald
est heureuse, la chanteuse voit passer le temps,
manque les occasions de carrière, est loin du centre
nerveux de la chanson française, sera oubliée ou
dépassée si elle ne quitte pas ces cieux incléments
où une jeune recrue avec un talent minimum passe
pour être aussi bonne que toi. Tu sais mieux que
moi qu'ici c'est la province inculte et barbare et que
là-bas, c'est la capitale.

Je pose ces vérités que je tiens de toi-même pour te faire arriver à la logique. Plains-toi tant que tu veux dans tes lettres, je suis d'accord, le papier est là pour ça. Mais dis-moi aussi que tu es heureuse côté carrière, comme tel est le cas. La critique du *Figaro* est bonne, excellente. Tout ça est très bon pour toi ; j'en suis sûr, ne sois pas trop malheureuse. Sois réaliste, je sais que tu l'es et que dès que tu m'écris, c'est l'absence qui te torture le plus. Moi aussi d'ailleurs.

Que ferons-nous ensemble ?

Voilà. C.B.C. – Radio-Canada me dit que je peux aller à Paris le 15. J'accepte. J'y serai le 16 au matin, crucifié à toi.

Quand tu m'écris que tu t'es cassé une dent deux heures avant la Tête de l'art, je te reconnais bien là ! Toujours entre la catastrophe et le triomphe. Toujours excessive, passionnée, extraordinaire, attachante, fougueuse, folle, petite, môme, donnée, baisée, mignonne, grande et minuscule, battue et battante.

Tu perds ton sac et je t'aime.

Tu es folle et je t'aime. Le pire c'est que tu es probablement la femme de ma vie et que tu n'es pas là et que la vie soit si dure.

Autres nouvelles, la bicyclette, idée de millionnaire que celle d'en acheter une grosse. J'en ai parlé à Jacques[62] et lui ai dit qu'il valait mieux faire réparer la vieille et hausser la selle. C'est ce qu'on a fait. Sais-tu que j'ai aujourd'hui la même bicyclette qu'à l'âge de 16 ans ?

Alors économisons.

Nicolas, je vais le conduire au zoo ou faire de l'équitation dimanche en plus de lui acheter quelques livres et les emmener tous les deux dîner dans un restaurant.

Quant au centenaire de la Confédération, je te conseille de refuser et avec fracas. On ne célèbre pas le centenaire d'une institution coloniale créée et mise au monde pour favoriser le capitalisme anglo-saxon. La Confédération a plus besoin de toi que toi d'elle, envoie-la chier.

Tactiquement, il faudrait aussi que ça se sache que tu refuses et aussi dire ils n'apprendront jamais, ces baptêmes-là. Ils ne voient donc pas qu'il y a un conflit.

Même s'ils t'offraient 100 000 $, ça ne vaudrait pas le coup. Essaie de savoir qui doit faire partie du spectacle.

Si c'est pour l'Expo, c'est autre chose. Mais le centenaire de cette odieuse machine à coloniser, mon cul.

Écoute-moi, mon petit, comme disait Alain Grandbois[63], prends ton mal en patience et souviens-toi de tes nuits à pleurer, ici à Montréal, pour aller à Paris. Tout ça mis dans la balance, ne te plains pas.

Un peu de couilles, tabernacle !

Je t'embrasse
Et je joins à ta demande
Une photo récente

[Gérald]

* * *

Montréal, 28 avril 66

Pauline à moi,

Fabienne m'a beaucoup parlé de toi. Je l'ai beaucoup questionnée à ton sujet. Je le savais par tes lettres et ça m'est confirmé par elle tu es une femme adorablement terrible.

Tu fais un train de tous les diables à Fr. Lô quand elle te décroche du travail qui est pourtant ce pour quoi elle est là.

Ce qui soulève la question peut-être as-tu trop de talent pour ce que tu peux en assumer? Psychologiquement et émotivement, tu es comme la dernière des femmes de maison. D'autre part, tu as un talent unique qui fait de toi une femme hors de l'ordinaire. C'est ce fossé qui est la cause philosophique de tes déchirements.

Tout ça ne règle rien, je m'en rends bien compte.

Je t'en supplie conduis-toi bien avec ta carrière, ne la maltraite pas trop tu es au seuil du palier que tu vises depuis des années, fais pas ta petite conne. Sois pas connasse. Tu sais que je t'aime, malgré tout.

Les maudits P.T.T. sont mon supplice. As-tu enfin reçu mon avant-dernière lettre?

Bernard Valiquette a télégraphié à son copain Pierre Lazareff de *France-Soir* pour te recommander à ses bons offices. Y a-t-il eu des résultats?

Je crois qu'il va falloir s'habituer à une idée peut-être simple, l'imperfection de la vie et des réalisations de l'homme. Rien n'est jamais tout à fait réussi. Tout est toujours contesté, ballotté, menacé, puis rentre temporairement dans l'ordre. Puis ça recommence.

J'ai hâte de te voir, de te parler, de t'entendre, de te toucher. Tu es si importante et si loin que le vide laissé est d'autant plus grand.

Dans la nuit de lundi à mardi, tous les recherchistes d'*Aujourd'hui*[64], nous avons fait le trajet Québec-Montréal sur le fleuve à bord du nouveau transatlantique russe *Alexandre Pouchkine*. J'ai bu vodka sur vodka, je me suis couché le dernier à 4 h 30 du matin, dans la cabine que je partageais avec Dupire, saoul mais lucide, la vodka est extra-ordinaire.

La maudite poste française me fait chier par sa lenteur.

Je continue demain, je suis trop épuisé.

Resaluts mon amour. Le téléphone est tout de même une grande chose. Cet après-midi, je t'ai presque sentie près de moi.

Ce soir, il y a quelques heures concert d'artistes polonais, après quoi réception au consulat. Laurier Hébert a tellement insisté que, après la partie de hockey, je suis allé au consulat. J'ai revu Anna German et surtout Eva Demarczyk un peu vieillie, plus grasse, mais un tempérament extraordinaire comme toi, une féminité forte comme la tienne. Elle est toujours avec son compositeur, tu te souviens, le jeune mec mince à qui tu avais demandé «grande valse brillante». J'ai bu encore vodka, mais cette fois «Wyborowa», tandis qu'il y a 3 jours c'était «Stolitchnaia».

Les Polonais toujours aussi chauvins : «La vodka polonaise est meilleure que la vodka russe.» Ai parlé beaucoup de la Pologne. Lodz – Poznan – Katowece – Zapokane et quoi encore, sorti mon vocabulaire de circonstance et surtout, surtout beaucoup pensé à toi. Nous étions tellement unis en Pologne. Un des plus beaux souvenirs de notre vie, avec les îles Vierges et Bonaventure[65].

As-tu enfin reçu ma christ de lettre?

Tu dis que tu me détestes, qu'on va se détester et après? qu'importe puisque je te battrai, te fourrai etc. etc. à Paris le 16 courant car nous sommes le premier, déjà fête internationale des travailleurs.

Je te baise partout

Gérald
Gérald
Gérald
Gérald

Pauline
Pauline
Pauline
Pauline

***

[Montréal, fin avril 1966]

Ma petite conne,

Je t'ai déjà dit que je te trouvais «drôle». Tu m'avais demandé ce que je voulais dire, je n'avais pas pu m'en rappeler, mais après ta dernière lettre, tout redevient clair.

a) tu es la femme de ma vie

b) tu me conviens plus et plus profondément qu'aucun être vivant actuellement

c) tu quittes le domicile conjugal pour aller «courir après la fortune» (comme dit le *Rendez-vous*[66]) à Paris

d) tu mets en danger notre amour

e) par ailleurs habité par ce qui t'habite de force, d'énergie, de volonté, de perfectionnement, c'était écrit

f) tu me déchires le cœur, tu m'humilies, tu me forces à vivre en ermite ou à courir les filles comme un petit con

g) tu me fais suer

h) je t'aime tout de même et à la folie

Or, malgré tout ça, malgré que ce soit ta crisse de carrière, ton crisse de métier, ton crisse de tempérament, ta crisse de volonté et enfin toi, qui soient directement responsables de tout ça, c'est toi qui m'écris que tu me détestes.

Tu es «drôle» en tabernacle.

Voilà ce que j'avais à te dire. Tu as besoin de tendresse je t'en donnais. Tu as plus besoin de chanter, voilà tout, tu as plus besoin de mener à bien ta carrière. Et comme disait Barbara «mon métier de chanteuse, je l'ai réussi, mais mon métier de femme, je ne l'ai pas réussi. C'est difficile être une femme».

C'est difficile être en amour avec une femme qui ne veut pas être une petite conne de ménagère.

Voilà ce que j'avais à te dire. Ronge ton frein ma calisse c'est toi qui l'as voulu, ce métier, ce Paris et moi aussi je ronge le mien je ne souffre pas moins que toi, hostie.

Je viens de décrocher le téléphone pour te téléphoner et j'ai raccroché je me trouvais idiot. Je t'écris ce que je pense et voilà tout.

Je t'aime trop, ça me tue quand tu n'es pas là
Ton Gégé
le martyr

Je viens d'écouter ton disque j'ai enfin mis la main dessus. Il est parfait.
Le *Rendez-vous* m'a déchiré.

Je t'aime
Je ne te déteste pas moi
petite calvaire de plotte à fesser dedans

Ton Gérald

***

Montréal, 5 mai 1966

Ma Pauline,
Écoute, je t'écris régulièrement comme une horloge depuis notre coup de fil l'autre jour. Et tu n'as encore rien reçu, il y a quelque chose de con là-dedans. Ou ce sont les crisse de P.T.T. ou les Postes canadiennes ou je ne sais quoi mais je ne comprends plus rien. Enfin, tu les recevras peut-être après mon arrivée et ça donnera quoi, rien.

Si je comprends bien, au 1er mai tu n'avais reçu aucune de mes 3 dernières lettres. Quelle connerie. C'était des lettres importantes, surtout la première où je te parlais beaucoup de toi. Dans la deuxième, je te parlais de ton métier et dans la troisième, c'était plutôt une lettre marrante.

Françoise Lô a été gentille, sûre d'elle, péremptoire à l'émission *Aujourd'hui*, faisant celle qui sait tout et qui comprend tout. Un peu désagréable, tout comme je l'avais vu chez le Chinois de la rue Gay-Lussac avec toi en novembre, mais enfin. Quant au reste, elle parle beaucoup, de tout et de rien. On a bien parlé de toi. Mais elle reste une femme assez froide. À Sopot[67], elle m'avait semblé moins parisienne, moins chic, mais plus humaine.

Les Canadiens ont gagné la coupe Stanley. J'ai vu la partie chez les Giguère avec Gaston, un des plus beaux spectacles du monde.

Ici, des grévistes – on présume – ont fait sauter le bureau d'une compagnie qui refusait de signer un contrat de travail, une secrétaire tuée et les deux patrons grièvement blessés, une affaire sinistre, comme toujours, quand la mort passe, peu importe les idées pour la défendre ou la justifier.

C'est Françoise qui te remettra cette lettre, c'est le plus sûr moyen que tu mettes la main dessus.

J'ai vu dans *Écho-Vedettes* des photos de toi, tu es de plus en plus belle. Je te veux, je te veux, je m'ennuie, je me tue.

Quel con ce photographe, qui peut te voir, tandis que moi, je ne te vois qu'en photos.

Nous menons en fin de compte une vie de cons.

De plus, quelquefois, j'en ai marre d'être père de famille. Les enfants me fatiguent souvent et jamais autant qu'avec eux qui sont tout l'avenir, je n'ai l'impression de n'être qu'une ombre fugitive ici sur la terre et dans la vie et de ne pas vivre vraiment ou alors une vie que je n'ai pas choisie, qui n'est pas la mienne qui ne ressemble en rien à ce que je voulais que ma vie soit.

Les enfants étaient là avant moi et ils m'enterreront et je ne serai plus là. Et nous ne nous serons pas connus. Ou plutôt le grand amour que l'on ressent, il ne sera pas, il n'aura pas été vécu. Je me sens devenir irréel dans cette maison, dans ce cadre qui n'est pas de moi mais qui est tout entier occupé par les enfants – la grande maison, la cuisinière, la gouvernante des enfants. Tout ça que je porte contre mon désir profond, sur mes épaules, ça ne me convient pas. Je le fais par amour et pour nous deux, mais si tu n'es plus là, comme c'est le cas depuis trois mois, ça devient absurde, étranger à moi je m'enlise dans cette vie que je n'ai pas choisie. C'est toi que j'ai choisie avec par surcroît le cadre et la structure de ta vie, or il ne me reste que le surcroît et l'essentiel est parti.

J'aurais dû, me dis-je ce soir, rester sur la rue Baile. Tu comprends, mon temps ne m'appartient plus. Mes repas, les enfants crient. Ma maison, les enfants crient. Le soir, j'ai les enfants, les fins de semaine j'ai les enfants. Je les aime mais après tout je me dis que, sans toi, ils n'ont aucune signification réelle pour moi. Ils me font un voyageur, un passager dont la vie glisse entre ses doigts.

C'est grave, sérieux, profond
Tout ça pour te dire que j'ai hâte de te voir
Que tu seras très prise, mais qu'on se verra quand même
Qu'on tirera tout ça au clair
Qu'on s'aimera aussi surtout

Gérald

***

Montréal, 9 mai [19]66

Saluts à toi ma Pauline,
Réponse à ta question.

Ne t'inquiète pas. J'ai été quelques fois au cinéma, au théâtre, au café avec des femmes. J'avais besoin de parler à des femmes, d'entendre ce que les femmes ont à raconter, de parler de toi, sans spécifier outre mesure, de parler de nous avec des femmes.

J'aime les femmes, tu le sais l'univers des femmes et de temps en temps j'ai voulu, le temps d'un café ou d'un gin, converser avec des femmes. Dans le genre « sœur » comme tu dirais toi-même.

Ne t'inquiète d'aucune façon, il est décidé et prouvé que tu es actuellement, et il n'en tient qu'à toi et à moi que notre bonheur continue, la femme de ma vie.

Que veux-tu dire par « orgueil ou défi » ?

C'est tout simplement que de temps en temps j'en ai marre de cette maison de cons avec un homme sans maîtresse et avec les enfants qui ne sont pas à lui et qu'il n'a pas voulus et je suis allé dans les lancements et j'ai parlé avec les femmes et je les ai invitées à dîner, sans plus.

Je m'ennuyais de toi. Tu remplis une grande part de ma vie, tu combles ce que j'attends de la féminité dans le monde. Mais quand tu es à 20 000 milles de moi, que veux-tu que je fasse? J'ai eu besoin de parler avec des femmes, c'est tout, comme toi tu as dû avoir besoin de parler à des hommes sans engagement de ta part.

Et voilà pour le paragraphe (e).

J'espère que ça ne te fait plus mal et que ces explications sont assez claires.

Maintenant, détails sur le vol Air Canada. Je ne les ai pas encore en main, je les aurai demain matin au bureau, je compléterai cela à ce moment.

Départ dimanche 7 h soir
Arrivée lundi matin 16 mai 8 h 05
Air Canada

Je vois Maspéro à Paris. J'ai bien hâte de connaître sa décision quant à la publication chez lui de textes de la revue.

J'ai surtout hâte à ce moment où je descendrai de l'avion et où je te verrai toi, ton toi en chair et en os, touchable, aimable (au sens strict).

J'ai tellement hâte d'entendre ta voix, tu ne te fais pas d'idée, et aussi de te voir, de retrouver tes mains, tes lèvres et ta peau ma Pauline.

Je t'embrasse et te parlerai plus longuement dimanche.

Gérald

[*Circa* mai 1966]

Saluts, ô femme,

Je te l'ai dit, je te l'ai dit et je te le répète, cette maison est vide quand tu n'y es pas. Ce n'est tout de même pas un paysage, quelques toits, quelques meubles, Flibuste[68] qui est revenu parmi nous et autres sonneries qui vont suppléer, qui vont combler l'absence de toi, ta vivacité, ta vie avec moi, notre amour, nos mains, notre folie, car nous sommes bien fous, et tout ce qui est notre duo. Nous sommes des siamois, inséparables ou l'on meurt.

Reviens vite ou je meurs.

Je t'embrasse – je te téléphone ou plutôt, je suis là quand tu téléphones. Je suis même là longtemps avant que tu téléphones. On se parle mais c'est trop peu, je veux que l'on soit là, tous les deux, à portée de main, tout le temps.

Je t'ai dit au téléphone tout à l'heure le coup que Juneau[69] me fait. J'ai été assez bousculé quand Brault[70] m'a dit ça, je commençais à m'en remettre quelque temps avant que l'on se parle. Je fais là l'expérience des représailles massives d'une part et d'autre part, la preuve que nous sommes en pays colonisé. Rien ni personne ne peut survivre longtemps, si ses idées ne sont pas conformes à celles du colonisateur.

Voilà l'hostie de situation, en plus d'être en butte à un pouvoir, ce pouvoir se mêle d'avoir des idées et d'empêcher qu'on en ait d'autres que les siennes. Juneau se sert de l'ONF pour assouvir une vengeance personnelle, nous sommes en pleine littérature d'aventure et de science-fiction. Les réalités sont dures.

Il faut être comme eux, ou ne pas être. Une solution : l'exil. Moyen de protestation très individuel en même temps qu'exemplaire. Toutefois, il faut avoir du talent, pour qu'un exil soit exemplaire. C'est là mon problème et aussi celui de devoir travailler sans cesse pour faire la preuve et prendre la mesure de mes capacités d'écrivain.

Je travaille trop peu.

Toutefois, il y a toi et tu es tout.

Ce tout que j'embrasse et sans lequel écrire, penser, parler n'aurait plus le même sens et serait privé de dimensions.

À jamais
Ton Gérald

* * *

[Paris, juin 1966]

Que puis-je dire, tu aurais toutes les raisons de t'aigrir. Je te promets des places que nous n'aurons pas – je te demande de me faire confiance, tu acceptes et ça tourne mal. Mes excuses – d'autant plus que ces 25 jours sont et seront inoubliables. Je t'aime et je passe périodiquement par les monts et les vaux de ce sentiment qu'on appelle amour. Je t'adore et ensuite j'ai peur que tout ça s'arrête subitement. Ce me semble extrêmement fragile et puis la minute d'après, j'en suis à des certitudes par exemple, que l'on s'aimera toujours et à jamais et de plus en plus

– il y avait longtemps, très longtemps que je n'avais éprouvé qqch de semblable – et ces derniers mois m'ont servi en somme à accepter cet état qui est le propre de l'amour. À nos débuts, c'est lui que je craignais – c'était l'idée d'y être plongé totalement qui me faisait peur – je balançais entre la peur de cet état et l'amour que déjà je te portais. Puis, ta patience, ton amour pour moi, l'amour que j'avais pour toi, toutes ces choses m'ont convaincu qu'il valait mieux vivre heureux, vivre un amour avec toi, même exposé à tout ce qui menace des êtres qui s'aiment que de vivre à demi ce qui nous unissait. Et c'est ainsi j'oscille entre la certitude et l'angoisse de te perdre mais je reste constamment heureux de ta présence à mes côtés, je suis comblé par toi et par nous, par ce qui nous arrive – je suis peut-être aliéné, mais tellement heureux aussi grâce à toi –, je ne croyais pas que ce fût possible, je m'étais résigné et tu m'as démenti.

Je t'aime
[Gérald]

**

[*Circa* été 1966]

Très chère vous,

Le sapeur Godin a été manger tout près du Procope, 2 ou 3 portes plus loin.

Vous n'aurez pas défait vos valises qu'il sera déjà de retour.

à Tsuite
Gé

* * *

Vienne, 22 août [19]68

Amour,

J'ai vécu hier une des plus belles journées de ma vie de journaliste! Je ne sais pas si tu as vu l'émission, je ne sais pas non plus si on a passé au complet le long topo et la courte entrevue qui a suivi. Je sais que je suis allé à la frontière tchèque, qu'on a marché 2 milles pour y parvenir, que là, j'y ai fait des entrevues avec des gens, certains détendus, d'autres très énervés, qui avaient vu les chars soviétiques dans Bratislava, les soldats en armes. C'était passionnant. Tout ça a jeté dans l'ombre la raison même de notre présence ici le congrès sur les Communications! et l'usage pacifique de l'espace. Après les moments intenses d'hier, Pierre et moi avons bu comme des Polonais, pour mouiller ça. Le matin, Wilfrid[71] est arrivé. Le vrai travail va commencer – et la tension et le plaisir retombent.

J'ai changé d'hôtel. Ici, c'est un peu plus bruyant (je change de feuille, on ne voit plus assez bien).

Voilà ce qui se passe. Ça me rappelle un peu le soir, Moscou, Varsovie, Leningrad que nous avons connues ensemble. Au fond pour les voyageurs et les touristes, toute l'Europe est semblable. Il y a des coins à Vienne qui sont comme Paris, d'autres comme Cracovie, d'autres comme Moscou ou Gdansk. C'est une sorte de résumé.

Quant à toi, tu es dans ma vie intérieure, très profondément – l'amour est là, je le sens, j'y touche et c'est très fort et très vivant, grouillant de vie et de caresses et de baisers pour toi.

Je te lèche

Gérald

* * *

[*Circa* 1967-1968]

Comme tu m'as dit – écris-moi, écris-moi vite, puisqu'on l'a dit et que tu le sais – même si cela est l'expression du plus grand romantisme… jamais révolu et pourtant il paraît qu'il le faudrait bien.

Impression que ces paroles douces me serviront de fer rouge pour brûler en moi ces incertitudes, non vis-à-vis de toi – mais en moi.

Une flamme en moi, mais dispersée par mille papillons noirs – une flamme ravivée par toi – qui me sera chaude et enveloppante.

IL M'AIME COMME JE L'AIME – ET NOUS SOMMES HEUREUX ENSEMBLE

Toute cette lettre, ces mots sont à l'antithèse de toi. Je le sais. – Chez moi ils sont. Ils passent. Si tu veux bien, accueille-les sans te contrarier comme tu sais m'accueillir.

À tout à l'heure
Pauline

* * *

Montréal, 13 mars [1969]

Connasse de connasse,

Je reçois le 13 mars ta lettre noire, triste, sombre du 10. Tu es complètement stupide, effrayante même. Sale bête. Je t'en veux à mort. Veux-tu que je compte mes lettres ? Veux-tu qu'un comptable t'en envoie une liste assermentée ? Ici, il y a eu une grève des postes, puis pas de grève, puis grève encore. À Paris aussi. Est-ce mon hostie de faute !

Je t'écris aussi souvent que je peux tous les deux jours. À Niamey, le soir de ton départ, lettre perdue, deux jours après, lettre perdue aussi. Puis à Paris, grève. Est-ce ma christ de faute ?

Dans ta dernière lettre (du 10), pas un mot gentil, juste de la « marde ». Et toi, m'aimes-tu ? Et surtout, surtout, par le Christ, ne confonds pas tes 2 enfants et moi, quand tu dis séparons-nous tous tout de suite, c'est de la pure connerie, de la CONNERIE – O.K. baquaise !

Mais cela est dans ton tempérament d'être tout à coup exclusivement méchante, l'espace d'une lettre, j'imagine. Eh bien tu as eu ton résultat je suis en CALVAIRE moi aussi. Crois-tu que je suis heureux, détendu, bien, aux petits oiseaux, moi ? Seul « comme un chien », toutes les christ de nuit que le Jésus amène ? Toi au moins, on te fait la cour. Tu es à Paris, tu vois des choses, tu vois tes amis. Mais moi, passé six heures du soir, que deviens-je ? Rien.

Mais je m'arrête, je suis calmé maintenant, sale connasse – quand même.

Ce soir, à un lancement, avec Denys Arcand, vu une scène fantastique. On dénombrait les jolies filles, il y en avait 2.

Puis l'une des 2 s'en va aux chiottes. Elle en ressort. Denys me dit regarde, son jupon dépasse. Je jette un coup d'œil, ce n'était pas son jupon, mais du papier toilette... Comme on s'est dit, elle a pris une «drop» à ce moment et il n'en est plus resté qu'une. Ensuite, avec l'équipe du film, smoked meat chez Ben's et à 8 h 30, arrivée ici. Ta lettre, ma réponse, ma colère, mon calme, je t'aime, je te veux, reviens-tu toujours mardi? Dis-le-me-le vite. Que je sois à Dorval. J'ai bien hâte de te prendre dans mes bras. Tu me manques terriblement.

À toi
Ton G.
G.
XXX

Bises et autres fantaisies

***

Vendredi 14 [mars 1969] /18 h

À___Gé___mon___a___mour
L'absence, quel drôle de froid, quel drôle de vide! Ta lettre du 11 reçue ce vendredi 14, un vendredi de fou. Jeudi hier, j'étais remise de cette maladie probablement nerveuse où j'ai vomi toute la journée – le soir, petite réunion québécoise chez Rock Denis – «Denizidien!» sociologue que Miron

connaît. Impression rapide, je ne sais. Béatrice Chiasson qui est très bien je crois! Tremblay[72], etc. – Georges Lebel – mais je te parlais de l'absence. Ta lettre qui me bouleverse toujours. Bien sûr qu'il ne faut pas se téléphoner mais ce n'est plus 9 jours, du 11, mais 9 jours d'aujourd'hui. Donc je commençais avec joie à trouver que le mercredi, le 19, se rapprochait. Catastrophe. Liège m'appelle – pour le 21. Dois-je ou non refuser? Je dis non. Je dis oui. J'appelle Élyse, qui me dit c'est possible. Je *suis avec* toi malheureuse comme les pierres – mais que faire, tu connais le dilemme! Et voilà que ce mercredi est remis au samedi!! Tu écris comme je t'aime et tu es aussi beau que je t'aime, et tu as mal compris – moi aussi, ce n'est pas un *refus*, c'est l'impossibilité, car le refus ce serait avoir du désir, comme je te l'ai dit. J'ai besoin de savoir qu'on m'aime, mais je suis aussi comme de la glace car je ne puis rien donner! Je t'aimmme et il faut que tu me *pardonnes* cette *absence*, ce *retard* à revenir! *Le comprends-tu!*

Quand je pense à cette *année* que j'avais pensé à passer loin de toi, j'ai le frisson mortel.

Geoffroy, les autres, j'ai vu Z et c'est terriblement réaliste. Oui je comprends les meurtres passionnels, mais je pense surtout au *suicide* de désespoir *et de vide*. – En t'écrivant je me calme peu à peu. Il ne faut pas se laisser détruire. Naturellement la question est de *savoir quand nous avons raison*, et si nous avons raison. Je *te prie* de téléphoner à *Kim*, à *Fabienne*, à Jacques, aux enfants, d'excuser *mon silence* qui est *de te* trop *parler*. Et cette absence qui est parce que «*peut-être*» il faut le faire. Je ne sais jamais *vraiment*. Comprends-tu! Dans ce genre de chose, je me dis je suis là, il faut le faire. Puisque je chante et que c'est ainsi. Mais comprends-tu! Et dis-*moi* aussi qu'il fallait le *faire*. *Là je t'écris du train*, en route vers la Dordogne jusqu'à dimanche soir. Rossillon et sa femme, on ne parle pas beaucoup. Entente de silence et moi (repos) de deux jours dans ce Paris de courses, d'attentes.

Il paraît, mon pauvre chéri, je voulais être belle pour toi, que j'ai déjà perdu ma bonne *mine* d'Afrique. Tes baisers, les enfants, notre amour me remettront tout ça. Et puis vivre. Et savoir où arrêter de jouir, et savoir être *efficace*. Autour de moi, chez Jean Ferrat etc. les bourgeois, c.-à-dire le *luxe*, peut-être. Chez les Scrive[73], le *goût* des choses, des êtres

Je t'aime, patientons encore un peu. Je te parle et t'aime et suis *si heureuse* que tu *sois là*.

Embrasse Pascale, *Nico*.
Ta peau

***

[Mars 1969]

Ben voilà,
              on va s'écrire
    Il était une fois…
    Mais voici votre lettre… écoutez, je ne sais si je suis plus «connâsse» que vous me le dites, mais vous êtes compliqué ce me semble «à mort».
    Laissez-moi être heureuse, heureuse, heureuse et vous avec, si vous avez le goût.

Je n'ai aucune envie de quotidien – de construire… etc. de dresser des clôtures. Mais d'être, d'être.

Si on est bien, soyons bien, soyons présents – adultes.

Je n'ai pas envie de courtes vacances plus que ça – mais des vacances éternelles – mais naturellement qui peut prévoir, qui peut savoir.

Ah, seulement cette exaltation – qui me fait comme cette drogue… – qui persiste… qui me tient soulevée au-dessus de tout… comme marchant en bondissant.

Revenons… revenons – sur terre. Mais sur terre, c'est aussi le travail et mordre et s'embrasser, et rire ensemble, et être d'accord et voir les choses de la vie ensemble.

Pas trop les lettres… le téléphone. Car l'exaltation peut être fausse – alors quelque chose de bien posé, calme aussi.

Naturellement tout cela est fou.

Alors je pense doucement, doucement, petite fleur délicate à ne pas froisser, à laisser s'ouvrir pétale par pétale, et on verra bien.

La chute Sainte-Ursule, à la fin, nous a été à tous les deux un peu sotte. Mais en dehors de la chute elle-même, il y avait la vision du train – et d'être léger – et de courir – et des bras autour du cou. Alors on se fout de la chute. Mais cette solitude à deux – quelle merveille aussi – n'appuyons rien – je ne « statue » rien. Une fois cela, demain la foule – on verra bien.

On se téléphonera tout à l'heure. Je vous parlerai, peut-être lirez-vous cette lettre sans comprendre à moitié aussi.

Il ne faut pas trop penser. Ou enseignez-moi à penser comme il faut.

Mais ne m'empêchez pas d'être heureuse – et ne fuyez pas pour fuir. Ou alors je ne comprends plus rien.

À tout de suite
Pauline

***

[Charlotte, Caroline du Nord, 2 avril 1969]

Cher amour,

Que penses-tu de ce rocher [Chimney Rock] comme symbole ? Je l'ai visité avec Denys[74]. Les Américains le trouvent fantastique.

Sérieusement, l'État de Caroline est très beau – surtout dans la région des montagnes. Il y a une piscine au motel où nous sommes. Un nouveau le Manger Motor Inn. Je me baigne 2 fois par jour. Il fait un climat de fou soleil et 75 degrés – c'est un mois ou 2 plus tôt que chez nous. Tu seras à Toronto quand la carte arrivera. Je pense souvent à ce show important et qui t'inquiète tant.

Je t'embrasse et les enfants aussi
On travaille très fort ici
[Gérald]

***

Vous ne m'êtes pas d'un amour tranquille.
Tout va bien — et puis tout à coup je m'ennuie,
il se creuse un trou... — et j'y tombe. Quelle
répétition et que de mots ____ au fil des
jours qui se répètent. ____
Vous avez peut-être raison. — Il est question de
pôle affectif — toujours ____ mais le choix entre
en ligne de compte. ____ Notre choix, ____
et ce samedi qui ne ment pas. ____
Je vous embrasse. ____

[*Circa été 1962*]

Li ne patience, et une
sagesse.. comme c'est
long à venir. — on a tou-
jours envie de piaffer.
c'est une question de
non-accord.. je pense
à des milliers de choses
à vous dire — par
exemple qu'avec

vous, rare est
l'envie de piaffer.
Mais il a ce ciel percé
ces cris d'oiseaux, ce
grand soleil et sur la
route un paysan à cheval.
Où êtes vous entre ciel
et terre. — L'absence ne
se comble jamais
Pauline

[Août 1962]

121

De correspondance en correspondance me voilà tenté de vous écrire. Celle de Lheman et de madame d'Agoult devient peut-être ennuyeux à la longue. On verra pour la cuisine et la fleur aussi. 8h5 de 5 à 7 — et une petite merveille douce et japonaise presque aussi — que je reverrais tout de suite demain! sur un grand écran, naturellement avec vous de grande préférence.

Me voilà depuis une heure ou deux assez tendu.. comme nous avons connu il y a quelques heures à peine, des abîmes de douceur. — J'essaie d'y plonger un peu la main pour en retirer de quoi me faire frémir. —

Pourtant le soir est beau un peu frais annonçant l'automne, J'essayais de régler mon pas et ma respiration sur cette idée, ou sensation mais les petites boules un peu partout ne arrivaient point à fondre ———

Ce matin plus tard j'avais fortement envie de ne vous voir jamais plus. — Je reviens si je résiste à vos belles tours d'ivoire — et à vos eaux bouillonnantes successives. — Et je vous laisse effeuiller cette marguerite

dormez bien. — Je crois que je vais mieux dormir aussi..

Ah! je saurais que je suis. ———

[*Circa* octobre 1962]

C'est une lettre sans queue ni tête.
"sans queue" surtout puisque je n'ai plus le goût de
faire l'amour avec quiconque.
Sauf vous peut-être mon dernier espoir.
m'avez-vous jeté, sorcière adorée
un mauvais sort.
J'ai l'entre-cuisse morte
et ça me rend inquiet.
Sont-ce les médicaments
c'est possible, mais rien n'est sûr.
Ceci étant dit, vas-tu mieux de la gorge
et as-tu arrêté de pleurer?
petite impératrice de ma vie!
J'écoute astor Piazzola maintenant
le dimanche matin
au lieu de Vivaldi

Je T'aime
T'aime
T'aime

Embrasse Jacqueline pour moi
et François aussi
et Philippe
mais surtout amie, revenez-moi de suite
Gé Le Ripponi

[1984]

Saluts, belle Peau

Je t'embrasse partout. Plonge bien au fond de toi sans t'y noyer et tâche d'en ramener quelques perles qui pourraient constituer le début du collier de la paix intérieure. Je t'aime pour tes doutes, mais ne laisse pas les doutes éteindre tes certitudes. Il faut trouver le point d'équilibre entre les deux.

Tiens tes doutes bien en laisse tout en ne te laissant pas endormir par tes certitudes (ce qui n'est pas un bien grand risque dans ton cas)

Ton Gé.

[*Circa* 1989]

HOTEL BISANZIO
30122 VENEZIA
RIVA SCHIAVONI - CALLE BOSELLO 3651
TELEF. 5203100 - TELEX 420099 - FAX 5204114

Venise, le ~~10~~ du mois de Mars 1993
chère chère chère Pauline,

Mon seul amour à part toi, c'est Venise. Cette ville m'a conquis et à chaque fois que je la revois, c'est comme toi, c'est la même émotion et le même éveil de tous mes sens. Elle est belle, douce et ensoleillée. Ici, c'est le printemps la primavera ! Quelle douceur. Je n'en reviens jamais. Il a plu une demi journée. Déjà le lendemain la pluie était finie et le soleil se dévoilait comme dans un Turner

[Venise, le (10) du mois de mars 1993]

124

[Hiver 1976]

Mon amour
    J'écris sur toi un long poème dont le refrain dit

    « Mais nulle mieux qu'elle
    Ne sut l'en libérer »

    Et aussi

    « mais votre main sur moi
    à chacun de vos retours
    ramenait mon sang
    dans les souks charmeurs
    de vos incessantes clameurs »

    je pense à toi je pense à toi
    je pense trop à toi.
    « petite peau paquet de nerfs
    à qui je m'épuise à plaire »

    Quand me revenez-vous ?
    Quand vous rapatrierai-je ?
    Combien de temps vous garderai-je ?
    Durant ces nuits de neige
    Où je me promène allège »

[Gérald]

*　*　*

[1979]

Gé

Allô !

J'ai pas l'impression que ça va être facile pour un bon bout de temps –

Que faire

    reprendre la discussion

    se séparer

    ne rien dire – (presque impossible)

        attendre janvier ou je pars

           et après !!! recommencer la même chose !

Je sais, ou *je crois* que ce n'est pas de *nous* qu'il s'agit mais de moi. Mais de *moi* je suis sûre. Mais à savoir s'il s'agit aussi de nous, impossible de savoir. Il me semble qu'il faudrait des changements ----- comment imaginer de continuer ce «fatras» qui va et vient – (joies et désespoirs) ça ne se peut pas beaucoup – je rêve à du nouveau – (comme toi d'être ministre et déjà tu as eu tellement souvent des changements dans ta vie).

La mienne va devenir inacceptable, je le sens ! Et je ne voudrais pas détruire entre nous ce qui a été et ce qui est ! Alors ! Parlons-en encore, je te prie, et que ma pensée te garde au chaud comme je t'aime.

ta Pô

* * *

126

Neuchâtel
Le 8 juillet [19]79

Chère, très chère Pô

Je suis à N. enfin! Après cet interminable congrès à Genève où heureusement j'ai pu me libérer quelques fois pour aller me prom-promener autour du lac Léman où les cygnes se promènent si gracieusement. Je passerai 2 jours ici, qui, à première vue, me semble une ville aussi calme qu'on peut l'imaginer. J'ai pas choisi l'Hôtel du Marché, j'en avais marre du centre-ville. Ici, c'est les pieds dans l'eau. Je lis des travaux, je travaille mes prochains discours pour le Québec et surtout je me repose, je me détends, je ne pense à rien ou à peu près. En fait je pense souvent à toi et je tente, avec un peu de recul, de percer le mystère de notre amour et de sa durée. Un amour, c'est quelque chose déjà. Un amour qui dure, c'est incroyable.

Est-ce ta et ma folie? Par folie, j'entends ces quatre saisons que nous traversons à peu près chaque semaine. Ton pendule intérieur qui va de Castor à Pollux, tes deux extrêmes, l'extrême irrationalité et l'extrême raison. L'extrême refus de l'analyse et l'extrême volonté d'analyse.

Et toi que fais-tu? Arrives-tu à diverses stations dans ton itinéraire intérieur? Je te souhaite la paix au plus profond de ton tréfonds, qui ferait que tu accepterais, que tu t'aimerais totalement, même quand ça va mal, au lieu de te tirer dans le dos comme tu le fais parfois.

Je prends un verre d'eau minérale Henniez. J'entends le bruit des vagues sur la jetée du port de Neuchâtel. Je me sens comme un vieil Européen à la retraite qui vient tuer le temps et se garder jeune en un lieu paisible et doux que je comprends mieux maintenant pourquoi tu l'aimes toi aussi.

Je dois voir Heidi[75] tout à l'heure. Déjà au téléphone, elle sonne sympathique. Je t'en reparlerai de vive voix.

J'ai vu Montreux, Lausanne. Quel pays fantastique ! Faudrait y passer des vacances ensemble un jour ou l'autre, en faisant du vélo, de la piscine ou du lac, des croisières sur le lac Léman et l'amour à tous les jours.

Là, c'est plutôt tranquille de ce côté. Je me sens devenir comme un anachorète qui aurait renoncé à Satan, ses pompes et ses œuvres.

J'ai bien hâte à ces deux semaines de soleil à North Hatley où les vraies de vraies vacances commencent.

Alors le mystère de nous deux. Il faudrait tenter de l'éclaircir et de voir comment on pourrait passer un autre 16 ans ensemble. Essayer d'imaginer ce que nous serons et où nous serons dans 5 ans, dans 10 ans, dans 15 ans. Juste pour le « fun », comme un jeu.

Je t'embrasse bien fort.

Un peu de ta peau me ferait beaucoup de bien. Sans compter tes lèvres, sup. et inf. et quelques pouces de fesse aussi. Et tes tétinets qui se gonflent sous la caresse.

Je te
et je te
et je t'embrasse

Gé

2 mars 1980

Saluts chère Pô de Peau,

Moi itou, ton petit corps fin commence à me manquer dans la vie et dans la nuit. On vient d'avoir un caucus du parti où on a parlé de la campagne référendaire, c'est parti mon kiki!

Ici c'est ensoleillé et glacial. Je commence à avoir hâte que ça finisse. On se sent toujours menacé de quelque grippe, bronchite, éternuements mortels et autres patentes anormales. Je m'ennuie de North Hatley, l'été, au bord de la piscine, sous les pommiers, ou décidant en plein après-midi de monter au deuxième pour aller «se laisser dormir»...

Le grand galop commence lundi, le 3 et le grand débat, mardi le 4. Je me demande quel discours je ferai: discours de statistique, d'attaque contre les hostie de rouges, ou discours de lyrisme. Ou un peu des trois, ou un discours sur mes inquiétudes au sujet de mon discours. Je pense que c'est ce que je vais faire.

Et toi, et toi, comment ça va? Rentres-tu toujours à la date prévue? Malgré ce qui s'ajoute comme spectacles?

J'étais sûr, petite christ, que ça marcherait, ton show. Je n'en ai jamais douté un quart de seconde, mais j'aimerais que tu m'expliques pourquoi tu pars toujours du principe que ça ne marchera pas. Est-ce que tu vas y chercher une force quelconque? Expliquez-moi, expliquez-moi? Ou est-ce que, ainsi, quand ça marche le moindrement, tu peux toujours te dire que c'est plus que ce à quoi tu t'attendais?

Enfin, trêve de philosophie et de psychologie. Le film de Réjean[76] est sorti à Montréal. La critique est très bonne. Je suis retourné le voir et j'ai encore été bouleversé, surtout par ce que Réjean fait dire à la petite. Ça touche des cordes très profondes, un peu comme certaines images de *Vivre*.

Une revue intitulée *Le temps fou* vient de faire un numéro spécial référendum. C'est la gauche. C'est pénible! Impuissance, faiblesse de l'analyse, ignorance de la réalité sociologique du Québec; ils sont dans les limbes pour un christ de bout de temps.

La gauche aurait besoin d'un René Lévesque, c'est-à-dire de quelqu'un qui est un politique génial. Malheureusement pour eux, il n'y en a pas des tonnes.

Je joins ici copie de la dernière version et finale, du manifeste. Miron-Berque[77]-Godin. Peux-tu le remettre à Phil Meyer[78], s'il te plaît, en lui expliquant bien qu'il y a deux manifestes, celui-là, plus engagé, et un autre, plus sur le principe de l'autodétermination et l'obligation de respecter le choix des Québécois. Il peut décider lequel il désire appuyer et sur lequel il est disposé à travailler.

Je t'embrasse et la gang aussi
    – Jacqueline
    – Françoise
    – Phil
    – et les musiciens

Je Gérald
t'attends

***

Chère Pô,

Tu es une petite Crisse, Diotima, Béatrice, Pauline, trois terroristes dites des Brigades non pas Rouges, mais Brigades de Peau. Qui sont faites de ce mélange détonant, attachant, irremplaçable, d'une peau, oui, mais qui est habitée d'un charme magique, singulier, mystérieux aussi, du charme des derviches tourneurs qui peut tenir en l'air pendant des heures.

Petite Crisse, j'ai fait le ménage! dis-tu. Tant mieux, c'est autant de pris.

– J'ai des amants, je suis très heureuse tu sais en Europe.

Si oui, pourquoi m'en vouloir tellement d'arriver 2 h ½ plus tard. Je t'avais dit : je te confirmerai mon arrivée.

Petit monstre. Tu ne penses qu'au cul, me dis-tu. Je n'y pense pas du tout moi. C'est pure projection de ta part, sale bête.

Enfin, j'ai hâte de tenir dans mes bras ton petit corps fin, nerveux, qui me connaît tant et si bien.

Tu restes un monstre imparable. Incomparable.

– Je ne veux plus te voir dis-tu.

– Je m'en fous réponds-je. Je peux passer à Paris, sans toi, quelques jours et n'en pas mourir, petite tête de nœuds de mes deux.

Fais-tu des scènes à tes mignons amants comme tu m'en fais à moi ou suis-je le seul à y avoir droit???

Dis-moi que je suis le seul, du moins de toute manière, c'est la vie. Mène ta vie à ta guise, je n'y peux rien, tu es souveraine, en fin de compte. Souveraine et mon impératrice.

[Gé]

* * *

[Georgeville-sur-le-Lac, *circa* 1982]

Pauline Jujube
336 Carré Saint-Louis
Montréal

Chère Pô,
    Je ne t'oublierai jamais, car tu es sans pareille, sans égale, sans rivale pour quelque aspect que ce soit, le martyr ou le saint.

Gé

* * *

Montréal, le 28 fév. 1983

Chère, salut, tite tite pô
    La nuit, tes petites fesses dans les creux de mes cuisses me manquent.
    Quant à toi, ton tout, ton toi, ton être, il me manque aussi.
    Tu n'es pas parfaite, loin de là, diablesse, bougresse et petite crisse, avec tous tes doutes de Christ, qui te déchirent et nous déchirent.

Quand ils sont fondés, tes doutes, ça va, mais quand ça confine à l'autodestruction, là attention, Wô les nerfs

Wô les moteurs,

Okay là !

Bon ceci étant dit, Bridge[79] a vu son Maurice[80], qui lui a dit qu'à Liège, tu avais fait un malheur avec *La Manic*[81], paraît-il. Sans parler des autres tounes.

Ton petit corps de « ragazzo »

« raguzzasso »

me semble qu'il ferait bien dans mes bras, sur ma poitrine.

Embrasse bien tout le monde, à commencer par Pô, sans oublier les Levaux, les Framboise et Phil ; les Henri Mordant[82], les Outers[83], tous les copains, toutes les copines.

Ton show marche-t-il à ton goût ?

Comment ça marche avec les gypsies de ton combo ?

As-tu trouvé quelque « chaleur humaine », quelque part sur cette planète d'Europe ? Si oui, sois-leur reconnaissante, mais sans amour.

Ici, c'est la merde avec les profs qui continue. J'espère que les rencontres et commission qui sont prévues vont produire de bons fruits. Sinon, ce sera la merde au cube et on verra alors où la chatte a mis ses petits.

Hier soir, souper chez les Tibétains, ensuite grosse veillée chez les Crétois, avec des enfants extraordinaires qui dansaient le « pedoz alis » avec fureur, comme les grandes vagues de la Barbade.

Je te la baise et te les serre, les pinces, bien entendu.

Ton prince et ton préféré j'espère.

Gé

* * *

[*Circa* octobre 1984]

Mon amour

Je t'aime et je trouve que ta chaleur est bien loin de la mienne. Le lit est grand, la maison est bien vide. Je viens de passer 2 jours et demi à l'île aux Grues, à la chasse aux oies blanches. Quelle beauté! Quand elles lèvent, on dirait une poignée de diamants lancés dans l'espace et qui retombent en accrochant la lumière en cascades bleues, roses et argent. C'est d'une beauté aussi grande que quand, avec vous, je fais l'amour. J'en avais plein la vue et il m'en reviendra quand je vous verrai. Tu me diras, je ne suis pour lui qu'une peau et rien d'autre, mais c'est une connerie que de dire ça. Parce que quand on fait l'amour, nous sommes comme dans la main l'un de l'autre. Je t'ai alors au creux de ma main, petite poignée frémissante de vie et je t'aime dans ton intégrité et toutes tes dimensions longueur, largeur, profondeur, en dedans comme en dehors. C'est donc la totalité de l'être que j'ai alors et à laquelle j'adhère totalement. C'est comme cela que je vois faire l'amour. Et il m'apparaît stupide de dissocier le sexe de tout le reste alors qu'il en est l'absolu résumé et concentré.

Je t'aime et t'embrasse

P. S. Dimanche matin
10 heures et demie du matin, je viens de tenter de te rejoindre à Bilbao, où on m'a dit que tu viens de partir et que tu seras ce soir à neuf heures à Saint-Marcel en France. Je te rejoindrai chez Jacqueline.

Gérald

* * *

Vendredi le 5 octobre [1984]

Ma très chère Pauline, mon bel amour,
    Je t'écris de Bruxelles, après avoir posté enfin, une lettre à Françoise S[tarr].
    À la réflexion, je suis tout bonnement dans une DÉ-PRESSION bien ordinaire et bien commune, rien d'exceptionnel là-dedans. Et comme dans toute dépression, atmosphérique ou autre, il y a des hauts et des bas.
    J'ai des bas profonds, qui vont jusqu'au goût du suicide, et dès que je remonte, je me trouve bien ridicule et surtout bien chanceux, comparé à d'autres.
    Comme je l'ai dit à Françoise, je me plains la bouche pleine. Tu te rends compte. On voyage gratuit à Düsseldorf,
    Bonn

Cologne (magnifique cathédrale)
Bruxelles
Walcourt (magnifique basilique)
(gentil doyen)
(mais fabuleusement drôle)
au cœur de la Wallonie

Les Wallons et nous, quels complices.

Mais, à la mairie de Walcourt, petit discours à faire. Et alors, quelle catastrophe !

Quel magma, je me dis que je devrais peut-être carrément bégayer pour cacher mon défaut.

Est-ce que ça se répare ? Si oui, comment ? Est-ce l'anesthésie ou l'exercice ? Et si ce n'est qu'une question de temps, peut-être devrais-je prendre encore un mois ou deux complètement hors du circuit, chez nous ou ailleurs pour laisser le temps faire son œuvre, tout seul dans un coin.

Je suis dans un petit hôtel, L'écuyer, rue Bosquet, près de la place Stéphanie. Au début, la Délégation générale m'avait installé au Hyatt Regency, affreux hôtel américain beaucoup trop cher, que j'ai quitté le lendemain pour une chambrette à 20 $, où je suis très bien.

J'ai vu le film de Wim Wenders, *Paris-Texas*, qui est assez bon, mais que je ne te le recommande pas plus que ça. Il y a des concessions et des facilités. Un enfant en est le protagoniste et, encore une fois, un homme est la victime et non pas la femme. Brigitte a raison, méfiez-vous.

Si je repense à cet été merdeux, il n'y a que toi qui m'apportes quelque soleil, quelque raison d'espérer. Sauf peut-être que tu sois privée de moyens, face à la dépression, situation fort nouvelle pour nous deux. Manque d'expérience dans le domaine. Il y a des choses que je veux savoir et que personne ne me dit.

Est-ce que ça dure longtemps?

Est-ce que ça se soigne autrement que par la patience et le temps?

Si oui, par quels moyens?

Mais j'en ai marre de ne penser qu'à ça. Je dois travailler à mettre ma tête dans une autre direction. Malheureusement, dès que j'essaie de parler, mon malheur me revient en pleine face, et je me remets à y penser. Situation fâcheuse en vérité.

Au total, sauf l'échec de Walcourt, ce voyage m'a été bienfaisant. Tout d'abord le temps a passé, si c'est un facteur important pour la guérison, c'est deux autres semaines en moins dans mon six mois. Sinon, on verra plus tard.

En fin de compte, je dois te dire que ta chaleur me manque. Ce qui est bien dans notre couple, c'est que depuis plus de vingt ans, quand on a besoin d'amour, on n'a qu'à tendre la main et on en trouve en abondance comme les raisins du Paradis. Et quand on le trouve comme ça, ça devient de plus en plus profond, cette soif de l'autre. Parce que même quand le désir est somnolent, il se réveille quand même et c'est souvent quand il semblait le plus loin qu'il est le plus violent et le plus fort.

Je t'aime et
t'embrasse
Gérald

* * *

[1984]

C'est une lettre sans queue ni tête, «sans queue»
surtout puisque je n'ai plus le goût de faire l'amour
avec quiconque, sauf vous peut-être mon dernier
espoir.

M'avez-vous jeté, sorcière adorée, un mauvais
sort?

J'ai l'entre-cuisse morte et ça me rend inquiet.
Sont-ce les médicaments, c'est possible, mais rien
n'est sûr. Ceci étant dit, vas-tu mieux de ta gorge
et as-tu arrêté de pleurer? petite impératrice de ma
vie! J'écoute Astor Piazzolla maintenant le dimanche
matin au lieu de Vivaldi.

Je t'aime
     t'aime
     t'aime

Embrasse Jacqueline pour moi
Et Françoise aussi
Et Philippe

Mais surtout amie, revenez-moi de suite
Gé le trépané

* * *

[Janvier-février 1985]

Chère Pô,
     Suis bien arrivé. L'hôtel avec un plafond en
vitraux est toujours aussi beau. Mais il fait maintenant

partie d'une chaîne américaine cheap, la Howard Johnson. Quelle déception, mais il faut reconnaître que la cafétéria du 4e où on prend le petit déjeuner donne toujours sur trois merveilleux édifices le Palacio Nacional, la Basilique et l'école des Beaux-Arts. La vue de cette terrasse est inégalable. Puis, à midi pile, la basilique met ses cloches en branle, de vraies cloches en vrai bronze, une merveille de la terrasse qu'on appelle ici le mirador, on voit les bedeaux qui swignent les monstres, c'est de toute beauté.

Alan est toujours merveilleux.

Au Gran Hotel, il y a un congrès qui commence le 9 et on me met dehors. Alan m'a trouvé un hôtel près de chez lui, l'encinada beaucoup moins cher mais plus sympathique que l'éléphant blanc où je suis.

J'espère que pour toi tout se passe bien.

Je t'embrasse bien fort

Ton gé qui t'aime toujours
pour la vie et après !
Gérald G.

* * *

Montréal, le 24-02-85

Mon amour,

De retour à la maison, enfin. Elle commençait à me manquer. Buenos Aires, je t'en parlerai de vive voix à Paris. Surtout, les vieux musiciens de tango, de pures merveilles. Ils jouent en regardant au ciel, comme des anges. Mexico, vu le grand ami Alan, je suis en amour avec cet homme. Je crois [*illisible*] t'aime, après moi bien entendu autant [*illisible*] il m'a dit le mot que je cherchais dans ma lettre précédente, ta pudeur. Je lui parlais de ce que nous avions vécu depuis un mois. Depuis mon épilepsie, toi et moi et à quel point je t'aimais encore plus qu'avant. Et je trouve fabuleux que tout cet amour, cette totale acceptation de toi, ce total besoin de ce que tu es, folies et beautés, je puisse l'incarner cet amour dans ton sexe, en une sorte de plénitude supplémentaire. Quelle chance, amour. Nous devons tout à la vie. Elle nous gâte, la Christ. Soyons-lui reconnaissants. Aimons-la aussi, cherchons bien comment. Peut-être en étant présents à tout ce qu'elle est (comme le sont les Russes par exemple. L'oncle Vania, tiens).

[Gérald]

**

[Juin 1986]

Mon amour Gérald,

T'écrire cette lettre pour essayer encore une fois de te dire – tu n'as pas changé – c'est moi. Pas au fond de moi, mais cette surface qui brouille tout, qui empêche les cris comme les gestes du cœur.

J'ai très peur que nous nous perdions tout simplement parce que je ne me trouve plus.

Les livres, les tableaux, les chansons qui traînent partout, la maison, *toi*, rien n'a changé, tout est prêt à être accueillant.

Je t'écris et je m'arrête, les mots n'ont plus de valeur, je n'habite plus rien.

Quand je pense à notre profond amour, et à toutes ces heures, ces semaines, ces mois perdus – quelle maladie et quel épouvantable gaspillage. S'il arrive que je sois loin, s'il arrive que nous ne nous voyions plus, même tout de suite en t'écrivant, je souffre de toutes ces heures perdues. J'aurai eu – inutile. Tu sais déjà tout.

[Pauline]

* * *

[Bahia, 1987]

Pauline chère,

Dans mon énervement, j'oublie ma trousse/pharmacie. As-tu reçu le message de Hélène B. de la laisser à Paul avant ton départ à toi, le 12. Moi 'si t'écris du bord du soleil. Tu as raison, c'est chaud.

Sta Caldo – en portugais Quente.

Mais qu'on prononce couinté.

Chta couinté

Couenneté

Mais, et là, prends-en de la graine. Voici point par point les choses importantes de cette trousse et ce qu'il m'advint par la suite.

1) brosse à dents j'en avais un double au fond de ma valise que grâce à Dieu, résistant à tout appel à un ordre rationnel quelconque, j'ai toujours laissé au fond de ma valise, en vrac, comme ça! Donc, ne

jamais faire le ménage comme tu dis, de cette valise où, véritable Sésame, on trouve tout.

2) le plus important, le Tégrétol[84]. Même chose, j'en avais acheté 90 de plus par précaution, chez Jean Coutu, le jour du départ, grâce à mon septième sens !

Donc ne jamais visiter cette valise-Sésame.

Imagine mon stress, mon tourment, mon énervement, ma crispation, si j'avais pas eu de Tégrétol.

— mon rasoir

j'ai fouillé, fouillé et je n'en ai point trouvé.

Et puis j'ai vidé ma valise à l'envers, sur le lit et, figure-toi qu'il y avait un rasoir.

Tout ce qu'il manque c'est du fil dentaire, pourtant, il y en avait partout, avant que tu fasses le ménage.

Donc ! Ne jamais faire le ménage de ma valise ! Tiens-toi-le pour dit, pour tout ce qu'il nous reste de vie ensemble ! Est-ce clair !

Ma chère chère ordonnatrice de ma vie.
J'ai besoin de mon désordre. Il me sauve la vie.
Je t'embrasse
Gé

Mais indépendamment de tout ça.

On viendra ici ensemble, sous peu. Il y a des appartements à louer, près de la mer et dans les quartiers comme à la Barbade. Deux pièces, une pour écrire et une pour dormir, avec, tout à côté, un petit marché où l'on trouve de tout.

Dis-moi quelle saison froide tu ne seras pas en Mozambique, au tiers-monde ou dans un Londres quelconque à apprendre une autre langue ou à préparer un antépénultième spectacle avec je ne sais pas qui.

Je te baise.

Non je n'ai pas envie.
Tu m'as bien serré avant que je parte.

À tel point qu'ayant vu...... à Rio, malgré ses petites fesses sous sa jupe, je n'ai même pas eu l'intention ou le goût de la toucher, ne serait-ce que du bout d'une pensée!
Peut-être au retour. Fumier sale!

Je t'aime
Ça, ça ne diminue pas. Même s'il me faut d'autres voyages seul. Peut-être! qui sait. Je te dirai tout ça après mon séjour ici. Après quelques jours, je saurai.
[Gérald]

***

Salvador de Bahia, le 8 mars 1987

Très chère vous, Londonienne de mes deux.
Je me suis acheté des Q-tips. En brésilien, ça s'appelle des *Palinhetas*, des Palinettes, des petites Palines. Il ne se passe donc pas une journée que je ne te voie. Je te vois surtout dans le corridor de la rue Pontiac. Toute menue dans ta fébrilité et je te prends dans mes bras pour me faire plaisir. Je t'ai vue dans un de mes rêves l'autre nuit, tu disais mon

nom, Godin. Ici, en ce dimanche qui est le dernier de mon voyage, il pleut à verse. La piscine de l'hôtel s'est vidée de tous ses patients. C'est une journée pour écrire. Ce que je fais d'ailleurs beaucoup. J'ai lâché la contrainte du roman. J'écris sur n'importe quoi. Et je prends de l'avance dans mes textes pour *Le Matin*.

Donc c'est, certains jours, un peu moins torride que nous, et surtout toi, le craignions. Mais quand le soleil revient, il tape dur en christ.

L'an prochain, on ira ensemble aux Açores, en février, dans ce coin de l'île San Miguel où il y a des lacs de couleur, un lac vert émeraude, un lac rouge rubis et un lac bleu aigue-marine.

Le carnaval est quelque chose d'assez délirant. Dans le passé, il y a eu des émeutes, mais cette année, c'est tranquille au bout, pourquoi? C'est plein d'enfants et les enfants d'ici sont d'une beauté sans nom et leurs parents les entourent d'attention que c'en est émouvant. Des faces de durs à cuire ajustent la jupette de leur petite fille et lui payent une limonade avec des pinottes.

Il y a eu un accident qui a fait sept morts. Un des chars allégoriques, qu'on appelle ici Trio Electrico parce que c'est un système de son géant monté sur un camion, a manqué de frein dans une côte et est entré dans la foule, tuant sept personnes et en blessant une cinquantaine. Titre du journal le lendemain CERVEJA, SUOR E SANGRE. De la bière, de la sueur et du sang! Heureusement j'étais loin du vacarme en train de prendre quatre, cinq bières très légères ici, à l'écart de la civilisation.

LES PAUVRES

Fait à noter. Du moment où le lunch arrive sur la table au restaurant, un démuni vient vers moi et me demande un morceau de mon repas. Souvent et surtout du poulet. Je lui en donne un morceau avec plaisir. Ça fait du bien aux deux.

Vu aussi quelqu'un qui, avec un sac de plastique, vide tous les plats dans son sac, avant que le serveur ou la serveuse ne nettoie la table. Je trouve ça génial comme manière de récolter des surplus des sales touristes que nous sommes tous, dans des pays comme ça !

Et toi, Londres, toi ! toi ! toi ! petite chose seule ? à Londres où sûrement tu redeviens l'Européenne que tu es profondément.

L'AUTOBUS

Hier, je prends l'autobus pour retourner du centre-ville à l'hôtel. Un autobus bondé comme j'ai jamais vu. L'autobus arrête prendre des gens à chaque arrêt, mais il ne descend jamais personne. Plus ça va, plus c'est bondé et plus c'est chaud. Et personne ne descend jamais. De temps en temps, des gens demandent à descendre, ce qui ne se fait que par la porte arrière, mais le chauffeur ne laisse personne descendre. Et on roule, on roule, et comme le chauffeur ne répond plus à la sonnerie, les gens frappent sur le plafond de l'autobus. Et il prend encore d'autres passagers et ça se compacte encore davantage et je n'ai pas pris mon Tégrétol de 4 h. Mais, vite, je me rassure. Ça fait deux ans et demi, alors, endure ton mal en patience et prends des grandes respirations. Et il est devenu impossible, impossible de bouger même si la porte s'ouvrait. Et on passe devant l'hôtel et on file à toute vitesse. Et je m'éloigne des quartiers que je connais et il n'ouvre jamais la porte arrière. Et il file et il file. Un vrai fou. Et je suis pressé de gauche et de droite, d'avant en arrière par le peuple noir de Bahia et je multiplie les *Vesculpe, Vesculpe.*

Et on tire la sonnette, tous, et je frappe sur le plafond et je crie même à ma force, *La Porta*, en brésilien du Plateau-Mont-Royal! Et il roule toujours. Et me voilà loin des portes de la ville que je n'ai jamais vues. Et ça roule toujours. Et ça presse toujours et ça crie toujours et il n'arrête jamais.

Va-t-on aller comme ça jusqu'à Rio à trente heures de là, le chauffeur est-il saoul, drogué ou tout simplement tanné de chauffer et ayant développé lentement contre les passagers une sorte de haine irrépressible?

Enfin il stoppe dans le quartier de Pétuba, banlieue populaire de Salvador, et je me pousse, je joue des coudes, je bouscule les autres, je me fraie un chemin jusqu'à la sortie. Me voilà *Douors*. Vite, une bière! Et l'autobus poursuit sa randonnée infernale à son train de folie. Dans le journal du lendemain, j'ai bien cherché, il n'est fait mention nulle part d'un autobus municipal parti pour une autre planète ou pour Rio! J'ai eu peur pour rien!

Il est dimanche matin tandis que je t'écris et évidemment, je le fais en écoutant les *Quatre saisons* de Vivaldi.

ALAN GLASS

J'ai bien trouvé ce qu'Alan voulait avoir, je lui enverrai de Montréal, après que tu seras rentrée, pour que tu voies le travail avec des plumes de papillons. BORBOLETA! Quel chef-d'œuvre!

Mais au-delà des assemblages comme celui que j'ai acheté, il y a aussi les portraits fidèles de tigres ou de perroquets dont on rend la couleur du plumage ou de la robe en utilisant les taches des plumes de papillons. Je ne sais pas lequel Alan G. veut voir, les grands tableaux décoratifs ou la reproduction réaliste d'animaux vivants, abstraction ou figuration. Je choisis l'abstraction. C'est plus dans son style. Ça doit prendre des chasseurs de papillons du christ pour faire des tableaux comme ça. Je ne suis pas sûr que notre Nicolas y soit d'une grande utilité!

Le ZOO

Visite au Zoo de Salvador, cage des lions. Un mâle et trois femelles. En face de la femelle, je lève le bras en l'air pour la saluer, je le fais deux ou trois fois. Puis elle me fait un de ces grondements qui vient du fond du vagin. Toute beauté, j'en frémis encore de plaisir.

CULO

Côté cul, je te raconterai. Mais c'est plutôt genre poignet PUGNO ou alors MANGA, en brésilien.

TOI

Et toi et toi, te gardes-tu toujours humide pour recevoir ton prince? Vois-tu le British Museum? Vois-tu les meilleures pièces du monde? Es-tu allée à l'église Saint-Martin-in-the-Fields en plein cœur de Londres pour écouter l'orchestre de Neville Mariner jouer les *Saisons* le dimanche matin! Est-ce que les cours, ça marche! Est-ce que l'accent anglais, ça rentre? Garde-le pour me le montrer au retour. J'irais avec ça flasher au canal 12 ou au canal 4 CBC ou avec G. Zowski.

Y a-t-il des bonnes librairies? As-tu visité Fowles? As-tu vu Harrods?

Je te serre dans mes bras, ma main cherchant tes fesses sous ta jupe et derrière tes culottes. Et je te serre dans mes jambes sous la forme d'un oreiller de l'hôtel OTHON.

Sois heureuse. Écris-moi toi aussi, petite crisse!

Je t'embrasse partout, surtout la pointe des seins, pour l'instant, et quand ils seront bien durs, j'irai voir ailleurs, juste pour voir.

Très heureux
Gé

Viens de recevoir ta lettre si triste de 4 h du matin.
Je t'écris tout de suite.

***

[1987]

Ma très chère petite Pauline, mon petit oiseau tout en duvet, mon amour.

C'est bien toi, j'ai eu quatre adresses de chez Baraclough, ce serait bien miracle que ma lettre postée de Bahia te parvienne
1.- Baabec Road, alors que c'est Baalbec
2.- London North s iqn alors que c'est London North 5 IQN
Quand même, quand même, je te la réécris.

Bahia
Quelle merveille, tous les jours, bain de mer, les vagues comme à la Barbade ou aux îles Vierges, Tortola, t'en souvient-il, et puis déménagement au centre-ville pour le temps du carnaval, Hôtel Pelourinho. Et quel carnaval. Des enfants en masse, qui changent tout le feeling du carnaval qui devient une fête familiale. À Rio de J., le carnaval se déroule comme les parades de la Baptiste ici. Les gens déguisés en couleurs magnifiques, les travestis aussi passent et les gens sont assis dans des estrades. À Bahia, tout le monde balance et tout le monde danse. [...]

Alan
J'ai trouvé les plumes de papillon que cherchait Alan. On appelle ça ici *borboleta* ou *mariposa*. Il sera content, je crois. Lui ai envoyé une carte, maudite machine.

Le cul
Je vais me faire passer des poignets, *manga*, chez les filles du quartier malfamé. C'est pas cher et ça soulage. Aucun danger, sida avec la main, vous comprenez.

L'écriture

Mon roman est complété à 90 %. Je le fais taper au propre ces jours-ci. Je le déposerai au Seuil en juin prochain et chez Gallimard aussi. On verra bien ce que le destin veut que je fasse dans l'avenir, comme dit Raymond Chandler, c'est comme parier sur un cheval aux courses, ça peut être le bon comme on peut aussi avoir perdu deux ans de sa vie.

Je t'expédie ci-joint les dollars demandés. Si c'est pas assez, dis-le-me-le.

Toi

Dans ta récente lettre, tu sembles aller beaucoup mieux. Je me réjouis. Tu commences à voir ce qu'il y a de plus beau à Londres. Ce serait con de ne pas faire ça. Je serai à Mirabel le vendredi 5 pour t'accueillir dans mes bras chauds et bronzés et te la sentir pendant le retour pour voir si tu es toujours aussi fauve.

Je t'en conterai plus de vive voix. Suis enfin de retour à Montréal et très heureux. Notre maison Pontiac[85], quelle merveille. C'est ici que je suis le mieux.

T'embrasse et te serre partout avant de te fourrer bien au fond. Toutatoé

Gégé

***

Montréal, Fête du travail
8 septembre 1987

chère Peau,

je me disais aussi que cette phrase de mon télégramme te travaillerait. «Prends goût à vivre seul.» Mais le tout a duré 48 heures à peine. À la réflexion et après deux semaines seul et sans toi, la phrase qui résume le mieux mon état est la suivante : «Tu me manques.»

J'ai passé vendredi, samedi et dimanche tout fin seul à North Hatley[86]. Quelle merveille. Les fenêtres du poulailler sont entrées. Mais fallait leur donner une couche de préservatif à bois. Ce qui fut fait. Huit heures d'attente entre les deux couches. Donc, une couche samedi et une autre dimanche. (Il faudrait maintenant mettre du préservatif sur le tablier des fenêtres qui est pourri lui aussi. Je reconnais bien là la chaîne sans fin des travaux de la campagne. Un geste n'est jamais sans entraîner un chapelet d'autres gestes. Si l'on veut que nos immeubles restent en bon état.) Bien reposé quand même. Mais l'eau de la piscine, déjà polaire. Bonne pour toi la courageuse chèvre des montagnes qui a connu les sources glaciales du Népal! Je t'embrasse comme aux premiers jours de notre liaison! Si tu vois Jean B.[87] n'oublie pas de lui donner en mon nom le *Manuel d'érotologie classique* de Forberg que tu trouveras à 36 francs chez le libraire de livres usagés, les Yeux fertiles, rue Dantin entre Odéon et Saint-Michel, près de l'ancienne maison Bourbée où on trouvait fossiles, scorpions[88] et autres bêtes menacées. Alors si tu prolonges, tu reviens quand? Arrivée hier de deux jeunes parisiens. Romain Scrive[89], l'échalote, et son copain Jean-Christophe. On voit bien que le chef, c'est Romain. Bien gentils tous les deux mais encore une intrusion dans ma vie d'ermite malpropre et brouillon ! Non, c'est vrai, ma vie sans toi est d'un ennui profond. Quelle misère, d'être intoxiqué à ce point. Beau sujet de réflexion. Ton rire l'autre soir au téléphone m'a fait le plus grand bien. Je vois chaque semaine Sheppard[90] pour son projet. Mais en fait, il me pompe les idées, comme s'il n'en avait aucune qui vienne de lui.

Et vous et vous, parle-moi un peu du show. Es-tu contente ? Cela va-t-y comme dit un indien. Savadthi ? Si tu passes devant un magasin sport, il y en a un sur Général-Leclerc, demande-leur des bandes élastiques pour chaussures Hutchinson à six œillets. Achètes-en deux paires d'élastiques, car c'est pratique et on n'en trouve pas par icitte.

Pour la dédicace à Benoît.

À mon cher Jean
Meilleur que NEWLOOK
Pour la « pugneta »
Ton Gérald

Je t'embrasse, fais la bise à Jacqueline. Ça me rassure de te savoir là, en pays connu. Tu vois comme je suis casanier, même dans *tes* voyages, c'est dégueulasse. Où est passée mon énergie si notoire !
Te la prends
Gérald

Au fond, avec cette séparation, je ne t'apprécie que mieux. Je ne t'en aime que davantage. Tu es ma planète préférée. Tu t'éloignes et puis tu reviens, je reste dans ton orbite. J'aide Pascale à se trouver un avenir dans l'art populaire via un stage à Paris, peut-être au Musée des arts et traditions populaires, je lui parle demain. Reçu une belle carte, belle des deux côtés, de ta copine Bridge et une belle lettre de Miron mon grand chum. Mon Dieu qu'il y a des gens bien dans notre vie ! Alan d'un côté du monde, les Scrive de l'autre bord, Denise[91] et André, à côté, Louise Latraverse[92]. À côté d'ici, Rénald Savoie[93] tout près. Et le maudit Ducharme[94]. Et j'en passe et tous ces beaux êtres magnifiques. Médor Tremblay. J'ai vu Marcel Rioux[95]. Il est mal en point. Je veux que tous vivent longtemps, longtemps et que nous nous aimions tous. C'est si beau ! Sans réserve, sans retenue, sans calcul, se donner, voilà la vie ! Que je veux !

Je t'embrasse et je te prends dans ma peau comme un hamac pour mieux t'aimer.

∗∗

Mtl, le 6 mai [19]88

Mon grand amour de ma vie,

Depuis quelques jours, je ne sais pas pourquoi, je suis habité par un phantasme, celui de la première fois où nous fîmes l'amour, la surprise de ma queue découvrant la bouche de ton con rose. Quelle pression universelle comme des milliers de mains.

Va donc expliquer pourquoi cette sensation me revient si forte après 25 ans.

Je vois qu'il nous appartient de renouveler un peu ou beaucoup notre sexualité. Je m'ennuie de tes jarretelles noires, même si tes bas à bande élastique m'alimentent aussi pas mal. Dis-moi ce qu'il me faut te faire et je le ferai.

Ici, c'est le bel été, c'est peut-être l'été qui me stimule.

De toute façon, la maison sans toi, c'est très très vide, malgré que ça me permette d'écouter mon heure de nouvelles le soir, quand ça me le dit, sans qu'on m'emmerde. Comme tu sais si bien le faire des fois.

Tu vois donc que je me souviens bien sûr de ton côté passionnel et aussi de ton côté moins sexy. J'ai vu la petite[96], elle se tient debout, avec un peu d'aide.

Cette fin de semaine, je voulais aller à North Hatley. Je suis booké pour Chicoutimi, campagne électorale partielle pour Roberval. Huit heures de routes et pas des meilleures.

Je pense à notre excursion en vélo qu'il faut faire cet été jusqu'à Trois-Rivières par l'ancienne route, comme on avait fait Sorel. Ça nous fera un grand bien et le soir on se poignera le cul dans un motel confortable.

Je vais finir mon roman cet été, je ne sais pas encore où précisément.

La plante à Jérôme[97] dans ton bureau a encore fleuri ce printemps. Les branches de lilas se débourrent. Les fleurs seront là dimanche probablement.

Je ne vois personne, je travaille sur mes deux films, c'est trop, ça me déconcentre.

Je m'ennuie de ton petit toi.

Allez, à bientôt, le 17. Donne-moi un petit guide de Grenoble. J'apporte une valise vide pour te ramener avec moi.

Je t'embrasse
Gérald

* * *

[*Circa* 1988]

Bonne nuit
amour
Dors bien.
ne pleure pas.
je t'aime.
à demain

Gé
X

* * *

[*Circa* 1988]

Mon petit amour,
        voici les documents demandés, quelle mémoire, tu savais exactement de Paris où était la chemise «Testament».

J'ai pu constater que ta jeunesse est éternelle comme les diamants.

Je t'embrasse
Gérald

**

[*Circa* 1988]

Ci-joint mes dernières pontes qui sont tout ce que j'ai fait de bien ces dernières semaines.

Il y a bien ce maudit roman que je travaille, mais ma paresse est grande et refaire, écrire à nouveau, enlever des mots, des phrases auxquelles on tient par vanité, parce qu'elles sont de soi et nous semblent essentielles sinon au roman, du moins à notre expression complète, me demande beaucoup d'efforts.

C'est quand je suis froid que je travaille le mieux. Quand j'envisage ce roman comme une histoire à raconter, une simple histoire qui serait arrivée à n'importe qui, n'importe quand. C'est quand je suis le plus détaché que j'ai l'impression de travailler le mieux à faire ce roman. Car un roman n'est pas un journal intime.

Et quand on est comme moi, prétentieux, suffisant, plein de soi, on a de la difficulté à ne faire qu'un roman, on a de la difficulté à s'enlever de la place, à quitter ces lieux que l'on imagine. C'est ainsi qu'écrire un roman peut m'être une leçon d'humilité et de discipline intérieure.

Il faut que je le fasse et je le ferai. Car il ne me reste maintenant qu'à relier tous ces moments que je livre au papier depuis des mois à mesure qu'ils me venaient, sans suite et sans lien apparent. Il ne me reste qu'à cimenter ces briques disparates.

Je reçois vos lettres, je vous parle au téléphone. Nous sommes à la fois loin et près comme deux pylônes chacun sur la berge d'un fleuve, portant des fils.

Ma paix et ma sérénité m'étonnent de plus en plus. Je crois que je suis plus stabilisé. Je n'ai plus de ces vagues inquiétudes qui sont le propre des théories humanistes et chrétiennes, parce qu'elles ne reposent que sur des choses floues comme la bonté des hommes, la charité, l'amour de Dieu et autres balivernes.

Dès qu'on sort du mesurable, on est foutu. Dès qu'on sort du mesurable, on tombe dans le vague et l'on se noie. Mais je n'ai pas rompu avec le non-mesurable pour me rassurer, pour éviter de me noyer, mais bien parce qu'il me semble que c'est la solution et aussi parce qu'il me semble que le mesurable n'a pas encore été assez défriché, mis à jour, répandu, érigé en système pour qu'on puisse donner dans le non-mesurable.

Quand tout le mesurable aura été exploré, quand tout le monde sera informé des choses qui existent et se mesurent, on pourra peut-être alors croire aux choses du cœur, aux brumes de la pensée, au flou de la foi, au vague de l'âme.

De plus, j'en suis venu à douter que ce que l'on appelle les choses du cœur existent. En a-t-on des preuves?

Supposez un couple. Un couple parle, lui fait des poèmes, elle en dit, ils s'adorent, ils se portent mutuellement aux nues, ils planent dans une espèce de ciel abstrait, ils se lancent au cœur des mots qui sont fort beaux et qui ne rendent qu'un bien piètre compte de ce qui les anime, qui est une chose bien palpable, le désir. C'est ainsi que la réalité la plus réelle, le désir, a plus de prix que les abstractions qui l'expriment. Et c'est ainsi qu'après s'être envolés à une certaine hauteur, qui les fait se prendre mutuellement pour des anges, ils retomberont au lit, dans le palpable dont ils n'auraient jamais dû s'éloigner. On ne quitte, même dans l'amour qui est bien la moins mesurable des occupations humaines, on ne quitte, dis-je, le palpable que pour mieux y plonger. C'est pourquoi je me demande pourquoi jouer les anges, pourquoi tenter de montrer que l'on est un ange et que le sentiment qui nous anime est quelque chose, vous savez, d'extraordinaire, d'indescriptible, d'incommensurable, si, au bout du compte, on se retrouve coïtant à qui mieux mieux.

Mais l'aliénation des gens est telle qu'un piètre amoureux maladroit, s'il jure d'aimer à la folie, se verra pardonner toutes ses gaucheries dans le lit et même d'infliger à sa maîtresse des moments d'ennui, au lieu d'amour. Et malgré tout, il sera aimé et préféré à un autre, expert par exemple dans l'art d'aimer, maître ès lit.

Heureusement, de telles aliénations ne durent jamais longtemps et les mariages d'amour, à moins que le maladroit apprenne son métier, finissent mal.

Et les lieux communs qui ont cours, là-dessus. On dit je ne saurais faire l'amour si je n'aime pas. Balivernes. Une caresse bien placée, vient-elle par erreur dans une cohue, par exemple, fera toujours frémir son objet.

Au lit, on peut se supporter ou non, c'est tout et il n'est pas question d'amour là-dedans. Il est question d'accord ou non, de tempérament. Il est question d'accord ou non, de formation, de culture, d'éducation. J'ai vu les plus grands amours s'effriter parce que monsieur ne se lavait pas les pieds…

J'achève ici ces pages que je ne sais quoi m'a poussé à écrire.

Disons que ce n'est pas une lettre, mais un article.

Lettre suivra, avant longtemps.

g

* * *

Ville de Québec, le 25-10-88

Très chère Pô

Tu es à Roche sur Grane ou Graine. Si c'est
Graine, j'espère que c'est la mienne. Ton rôle et ta
place dans ma vie sont centrales. Tu le sais! bien sûr!
J'ai attrapé une extinction de voix à Montmagny à
force de crier après les oies. Résultat, j'ai depuis lors
la voix dans le masque. Une belle voix bien ronde
et un peu rocailleuse. Le Parlement a repris et je
travaille déjà sur la campagne électorale de '89. Il
me faut ces quatre autres années. Je termine mon
roman en '89 à Prian ou Dubrovnik ou Portorož
quelque part sur l'Adriatique. Je le refile à Québec-
Amérique. Je me fais ou planter ou non par la
critique. J'en commence un autre après l'opération
«accouchement du premier». J'ai changé le titre
que m'a fait en cadeau Gérard Tremblay que je vois
pour dîner samedi le 26 – '88. Je lui ai été porter le
cadeau que lui a fait Esco[98], un décrottoir en forme
de chien. Il était tellement content qu'il m'a donné
une toile.

Je t'aime de plus en plus à mesure que je mûris
et que je deviens plus sérieux. Où trouverais-je une
femme aussi bien que toi? un cul aussi odorant
que le tien? une baiseuse aussi bonne que toi? une
femme aussi riche que toi? une folle aussi cinglée
que toi?
À la longue, on commence à bien vivre ensemble.
J'aime mieux Pontiac bien vide qu'avec des amis!
Tant qu'à être sans toi, j'aime autant être tout à
fait seul! Je fais ma petite vie de monoparental sans

aucune contrainte et ça me plaît bien. Tout ce qui me manque alors, c'est ta folie bienfaisante.

Je t'embrasse partout
     partout
dont je ne me lasse jamais.
     ton Gé

***

[Septembre 1989]

Chère Pô,
     J'ai été porter la minoune au garage pour la énième fois
     – pneus d'hiver
     – pompe à gaz fuckée
     – à 12 h 30 j'ai un dîner dans Outremont avec
       la presse ethnique
     – je suis au bureau ensuite et ici à 6 h du soir

à tesuite
je t'embrasse
maudit bronco adoré

Gé

***

[*Circa* 1989]

Saluts, belle Peau
     Je t'embrasse partout. Plonge bien au fond de toi sans t'y noyer et tâche de ramener quelques

perles qui pourraient constituer le début de la paix intérieure. Je t'aime pour tes doutes, mais ne laisse pas les doutes éteindre tes certitudes.

Il faut trouver le point d'équilibre entre les deux.

Tiens tes doutes bien en laisse, tout en ne te laissant pas endormir par tes certitudes (ce qui n'est pas un bien grand risque dans ton cas).

Ton Gé.

***

[*Circa* 1991]

Pauline chérie
Trois-Pistoles, le chant du cygne.

Je t'aime de plus en plus, jolie gazelle dans la chute.

Il m'arrive aussi de te désirer de plus en plus, FENNEC, mon beau fennec fennec.

Te souviens-tu du beau fennec qu'on a vu ensemble dans le désert de Tunisie peu après le départ de Tozeur ! Ce fennec m'a toujours paru être une autre incarnation de toi. Trop rapide pour être poigné, mais ne demandant que cela.

Que le monstre que je suis en soit rendu là montre bien mon degré de dégénération – décadence. J'appréhende ce très long voyage au bout de la nuit et ça me fait presque regretter de quitter la chaleur de notre lit. À betôt à Montréal et à North Hatley et chez Madeleine et Jean[99] au lac Bélanger.

Je serai probablement débarrassé de ce fou d'Émile que je n'ai pas encore fini de comprendre. Enfin, dors bien. Il te suffit d'apparaître pour me prendre aux tripes. Sur scène ou dans ma vie.

Je te serre les fesses et les pinces
Ton de plus en plus Gérald

***

[*Circa* 1991]

Pauline, il est 16 h 30.

Christiane[100] a téléphoné, elle veut te parler. Moi, je suis sorti prendre un peu d'air frais. Dans la courette de l'hôtel, il y a déjà des camélias en bourgeons tout roses, je ne suis venu ici que pour cela.

À toi, celle qui a contribué le plus à ce que je continuisse à vivre.

Ton tien
Gérald

***

Montréal, le 7-05-92

Ma chère chère Pauline,

Je commence par la mauvaise nouvelle. Monsieur Paquette, le Belge de Trois-Pistoles, vient de partir à son tour. C'est un voisin de Belgique qui vient de me l'apprendre, ainsi que la force de Victorine qui passera l'été à Trois-Pistoles comme d'habitude. La bonne nouvelle, c'est que le printemps commence à se manifester ici, le marronnier du parc Bienville en est à sa deuxième feuillaison, je n'attends plus que les fleurs qui seront là pour ton retour. Moi aussi je serai là. Je crois qu'on pourrait, pour le premier week-end, louer une bagnole moyenne chez Budget. Si je savais exactement la date de ton retour. Entre-temps je rêve à toi, je t'entends, je te sens dans le lit nuptial. Reviens vite avant que je capote. J'ai été voir le docteur Jolivet il y a quelques jours. Il est très optimiste à mon sujet. Ce qui me permet d'entrevoir encore une dizaine d'années en politique… *[suite perdue]*

[Gé]

***

[Octobre 1992]

Ma très chère Pauline
Avant mon avion pour le Parlement à Québec

Ces deux jours seul à Québec m'ont été très roboratifs et propices à la réflexion pour nous deux. Je me suis rendu compte de toute la place que tu occupes dans mon cœur et mes sentiments. Je suis revenu une journée plus tôt parce que l'odeur de ton corps et de tes cheveux dans notre lit me manquait trop. Comme d'habitude j'ai rêvé à toi, je t'ai imaginée dans le *hide-a-bed* où couche d'habitude Jérôme dans la grande pièce. Je me levais matin et j'allais voir si tu étais bien là, mais il n'y avait personne, pas même toi recroquevillée dans les couvertures de laine, couchée sur ton côté droit, et bien chaude comme dans le petit lit étroit de Marie.

Nous avons bien sûr nos litiges et nos mots. Mais je vais faire des efforts pour ne pas retomber dans ce travers. Je t'imagine avec Nico[101] discutant de la direction du canot et de toute autre option à prendre sur l'eau et sur la terre bénie de nos ancêtres.

Accepte ce message comme une lettre d'amour.

tout à toé
rien qu'à toé
Gérald le mal peigné

qui doit faire passer le NON dans Mercier à tout prix.

Gé qui t'embrasse et qui t'aime

* * *

Montréal, le 28 novembre 1992

Ma très chère Pauline

Depuis que tu es partie, je tente de m'expliquer le mystère de l'amour que je te porte depuis bientôt 27 ans. Je pense qu'en fin de compte, tu exerces de la fascination sur moi. En un mot, tu me fascines. Tes talents, tes qualités, générosité, ouverture d'esprit, courage, loyauté envers tes amis, ta faculté de rebondir. Après les «voix parallèles», te voilà en plein Paris au Palais de Tokyo. Je présume que tu prends le temps d'écrire ton livre sur l'amitié qui t'a fait soutenir ici les 2 Lise[102] et maintenant à Paris, notre irremplaçable trésor Jacqueline A[103].

J'espère que ta présence lui sera roborative. En fait je suis sûr que ça l'est comme ce le serait pour moi, tout à coup malade et aux portes de la mort. Ici aujourd'hui le samedi, après le jour de pluie qui m'a traversé jusqu'aux os, le soleil est d'autant plus éclatant.

Yolande[104], dans la cuisine, fricote un plat de saumon au court-bouillon. L'autre fois, c'était les pétoncles sans lesquels, au moins une fois par mois, je crois que je ne pourrais continuer à subsister.

Hier soir, vendredi, je suis allé voir un tout récent film américain, *Malcolm X*. Il faut en voir au moins la 1re heure. C'est du gâteau, le cinéma Impérial était plein de Québécois de couleur noire et ils réagissaient beaucoup avec force cris et appréciation. Le film se prolongeait dans la salle. C'était merveilleux. Je peux t'attendre pour retourner voir cette première heure. Sinon dis-le-moi que j'y retourne «tousseul».

J'ai hâte que tu me fasses un rapport complet sur la santé de Jacqueline.

Je t'embrasse de plus en plus
Gé

***

Venise, le [10] du mois de mars 1993

Chère chère chère Pauline,

Mon seul amour à part toi, c'est Venise. Cette ville m'a conquis et à chaque fois que je la revois, c'est comme toi, c'est la même émotion et le même éveil de tous mes sens. Elle est belle, douce et ensoleillée. Ici, c'est le printemps, la *primavera*! Quelle douceur. Je n'en reviens jamais. Il a plu une demi-journée. Déjà le lendemain, la pluie était finie et le soleil se dévoilait comme dans un Turner.

———

Je termine cette lettre à mon retour. [13 avril 1993] Je suis maintenant rue Pontiac. Enfin dans notre nid d'amour. Je pars demain pour le Salon du livre de Québec signer la dernière parution qui porte mon nom. Gérald Godin *Écrits et Parlés* tome I[105].

Je t'embrasse à pleine bouche et à pleines mains.

Je te souhaite heureuse et suis sûr que tu l'es. Fais attention avec ta «bâshé» [*illisible*]. Il n'y a pas de toit là-dessus.

Ne pars pas et, comme dit une des dernières pièces à Montréal,

si tu meurs, je te tue.

Ton Gérald

***

Montréal, le lundi le 15 mars 1993

Mon amour de *peauline*,

Ici nous sortons d'un douze heures de neige. Les rues sont pleines de crème fouettée. N'y manque que la crème de marrons. C'est froid, mais en même temps quelle beauté! J'ai expédié à Alan[106] ses épines de porc-épic avec l'adresse des fournisseurs, au cas des fois. Je termine enfin mon livre de poèmes. *Les botterlots*, ce sera pour publication l'automne prochain. Entre-temps L'Hexagone publie mon *Gérald Godin Écrits et Parlés I* pour le Salon du livre de Québec.

Les amibes intestinaux m'ont ramené à 160 livres avec le résultat que mes pantalons tiennent par miracle à ce qui me reste de hanches.

J'ai été voir *Le malentendu* de Camus avec Nicolas invité par son père. Quelle pièce! ton amie Kim[107] est sensationnelle dans son rôle de mère âgée, elle a les accents de Lucienne Guay[108].

Au téléphone du moins, tu m'as l'air très paisible comme tous les pèlerins du désert.

J'espère que ce «feeling» se maintient et, surtout, je te prends à pleines mains dans mes bras pour mieux sentir ton petit body de renarde et ses frémissements. Ouvre ta bouche que je l'embrasse en profondeur.

Ton Gé

***

C.E.C.I.
Attention de Pauline Julien
Ouagadougou 01
Burkina Faso
Afrique de l'Ouest

Venise, le 6 aprile 1993

Cher Amour,
c'est vraiment

les deux extrémités
de l'univers – Depuis
hier, le soleil
plombe. Je dors
comme l'ours qui hiberne.
Et c'est avec toi que je voudrais être

Gérald

* * *

Parlement de Québec, mardi le 11 avril '93

Chère, très chère vous,
   La vie continue son petit bonhomme de chemin
et me rapproche lentement de votre retour. Hier au
soir, lundi le 10 avril, le grand Mikis Theodorakis
donnait un spectacle à Montréal, dans la nef de
l'église Notre-Dame. Qui rappelle par ses ors et ses
bleus la Sainte-Chapelle à Paris. Après le concert, j'ai
couru, un bouquet d'œillets à la main, les déposer
aux pieds du grand maestro. Après le concert, il y
avait une réception au restaurant Milos, avenue
du Parc. En entrée, du poulpe mariné et en mets
principal, une montagne de homards. J'avais été assis
à la même table que Theodorakis. Tu aurais aimé
être là. Ici, au Parlement, les libéraux vont déposer
d'ici quelques jours un projet de loi qui permet
l'affichage en anglais. C'est tellement ridicule de
rouvrir encore une fois le dossier de la langue que les
gens sont désespérés – après 15 ans de la loi 101. Tout
le monde a le sentiment de perdre son temps et il n'y
a rien de plus corrosif. On piaffe tous d'impatience

pour des élections. Ryan et Bourassa se pourlèchent les babines et espèrent récupérer le vote des Anglais. Mais je crois qu'ils se mettent le doigt dans l'œil. Tant que les Québécois ne seront pas sur la pente glissante de l'assimilation, les Anglais du Québec vont préférer rester dans leur ghetto, même au point de vue électoral. De plus en plus, nous croyons qu'il faut une élection dans moins d'un an, c'est-à-dire au printemps '94, pour répéter l'histoire de 1976. Mais seul Bourassa est maître de la situation. Il faudrait envisager la mise en place d'un référendum d'initiative populaire pour que le peuple décide quand il y a des élections au Québec. J'ai l'intention d'en faire une proposition pour la plate-forme électorale du P.Q. Il faut renouveler les institutions et les mœurs électorales si l'on veut que la jeune génération s'intéresse à la politique, mais sans se mettre la tête sur le billot non plus. Beau problème de quadrature du cercle. Mais il faut toffer, toffer, toffer et gagner à la prochaine occasion. Je t'épargne toutes mes tentations de tout sacrer ça là. Je préfère ruminer ça dans mon intérieur et remiser tout ça dans mon grenier crânien jusqu'après les élections fédérales et ensuite les nôtres. (Aussi cette idée est dangereuse pour moi. J'ai peur d'y prendre goût car ce serait délétère et ça affecterait mon enthousiasme et mes énergies avec des répercussions dangereuses pour l'équipe du P.Q. Mercier et de mes électeurs.) Enfin, je t'attends et je t'en reparlerai.

Ton tien, Gérald

***

[Printemps 1993]

Ma très chère mais peu coûteuse Pauline,
    Je t'écris de North Hatley où j'ai rejoint par mes propres moyens (Tilden) Sam et Sylvie, le soleil entre par la fenêtre du magnolia. J'ai couché dans la chambre aux pommiers; les fleurs du pommier font comme un tableau japonais encadré par la fenêtre côté Orford. La lumière entre très tôt le matin comme chez toi à Ouagadou j'imagine. En tout cas, sois prudente dans les chemins de sable mou. Attention de ne pas te casser la margoulette et ta petite tête si dure et si renarde. «Alopékis»

[Gérald]

***

Parlement de Québec
Samedi le 17 avril 1993

    Mon beau petit fennec d'amour
        Alopékis
    Je te vois dans ton désert
    heureuse comme la gazelle
            que tu es.
    Ici, retour tranquille après Venise
    Salon du livre de Québec
    2 parutions dont l'une avec
    2 photos de toi.
    l'une de Majorque
    et l'autre d'une soirée
    chez Dostie.

J'ai tout lu et relu et c'est pas si mal écrit.
Je te serre sur ma peau
Ton Gérald

J'ai totalement hâte de te voir dans ta file au passeport de Mirabel.
Tu me hantes chaque nuit.
Sois mon amour

Gérald

***

Montréal, le 19 avril 1993

Mon amour de ma vie,
    La plus triste nouvelle, Lucien Outers est mort.
    Il était né en 1928. La crisse d'année des gros départs ne finira-t-elle donc jamais! Le film de Coline Serrault est enfin sorti ici. Moi j'ai adoré. Il n'y a que Fabienne et Jean-Paul[109] qui n'ont pas aimé. On est comme on est. J'ai cherché le *Géo* sur les ânes et les mulets. Manque de pot, pas trouvé. Suggestion, observe, observe-moi bien, fouille dans tes souvenirs et tu en sauras tout autant que dans *Géo*. Mais je le cherche quand même. Voici les pages de garde de mes deux nouveaux bouquins. Ça va poigner tout à l'heure, j'en ai le feu au cul, c'est pas mêlant. Ici, il pleut tous les jours plus ou moins. Le soleil, disparu
    (feuillet manquant)

[Gérald]

***

172

Montréal, le 23 avril '93

Chère petite peau-line,

    tes dernières lettres montrent que ton petit corps commence vraiment à s'échauffer. Garde ça pour moi, mon amour. Tu t'es faite chaude pour la pénétration de ton prince. Tu ne peux pas t'imaginer à quel point mon imagination me travaille ces temps-ci avec tes lettres pornographiques.

    Ici à Montréal, c'est vraiment la merde. Il pleut sans dérougir depuis 48, tu as bien lu, donc 48 heures. Ça démolit tout le monde, moi je n'ai plus d'envie que celle de dormir. Après des jours et des jours, la dactylographiste Nicole Boissonneault m'a enfin remis un manuscrit complet, dont j'ai dit quelques mots à Jean Royer. Il les attend. S'il est publié, ça va japper dans les poulaillers de notre petit milieu. J'épingle quelques starlettes locales, nommément Denise Bombardier, Claude Beauchamp, sans oublier Pierre Trudeau.

[Gérald]

NOTES

1. Claire Richard, comédienne et chanteuse d'opérette.
2. Françoise Staar Scrive, artiste peintre, grande amie de Pauline Julien.
3. Gardienne des enfants, à l'époque de la rue Saint-Marc.
4. Guy Hoffman, acteur et réalisateur québécois né en France, un des co-fondateurs du Théâtre du Nouveau-Monde en 1951; Jean Dalmain, acteur québécois d'origine française et professeur d'interprétation.
5. Marcel Rioux, éminent sociologue, auteur de *Les Québécois*, Seuil, 1974.
6. Jérôme Salinger, écrivain américain, auteur de *The Catcher in the Rye (L'attrape-cœur)*.
7. Hélène Loiselle et Lionel Villeneuve, couple de comédiens québécois.
8. Jacques Kanto, homme de théâtre d'origine polonaise.
9. Louis Pauwels et Jacques Bergier, *Le matin des magiciens*, Gallimard, 1960. Livre culte du réalisme fantastique.
10. Raymond Abellio, *La fosse de Babel*, Gallimard, 1962.
11. Chris Marker, réalisateur français notamment de *La jetée* en 1962.
12. Peintre qui fréquentait Pauline Julien.
13. Chanson de Léo Ferré.
14. François Cousineau, pianiste de Pauline Julien à cette époque.
15. Pierre Brabant, l'autre musicien de Pauline Julien dans les années soixante.
16. Couple d'amis. Il est cinéaste. Elle sera tisserande.
17. Robert Goulet, auteur du roman *Le charivari*, Albin Michel, 1963.

18. Un des premiers grands poètes français du XVIᵉ siècle (1497-1544), auteur de *L'adolescence clémentine*; protégé de Marguerite de Navarre.
19. Jean-Louis Gagnon, journaliste et éditorialiste.
20. Raymond Abellio, *Les yeux d'Ézéchiel sont ouverts*, Gallimard, 1949.
21. Clément Marchand, homme de lettres et éditeur de Trois-Rivières.
22. Madame d'Agoult fut la maîtresse du compositeur Franz Lizst. Voir Solange Joubert, *Une correspondance romantique: Madame d'Agoult, Liszt, Henri Lehmann*, Flammarion, 1947.
23. Gilles Hénault, poète et critique d'art.
24. Lise Hénault.
25. Françoise Parent.
26. Jean-Paul Filion, poète, chansonnier et romancier. Auteur de *La folle*, chanson interprétée par Pauline Julien.
27. Patrick Straram, critique de jazz et de cinéma, dit le Bison Ravi.
28. Jacques Godbout, *L'aquarium*, Seuil, 1962.
29. Bernard Vanier, artiste peintre automatiste québécois né en 1927.
30. Christiane Zham, ex-épouse de Bernard Vanier.
31. Roland Giguère, poète et graveur, fondateur des Éditions Erta.
32. Épouse de Patrick Straram.
33. Marcel Barbeau, artiste peintre québécois.
34. Jean-V. Dufresne, journaliste politique et chroniqueur.
35. Panaït Istrati, écrivain roumain, publie *Les chardons du Baragan* chez Grasset en 1928.
36. Pascale et Nicolas Galipeau, les enfants de Pauline Julien et de Jacques Galipeau.
37. Nouveau parti démocratique, parti politique fédéral représenté par plusieurs amis de Pauline Julien, dont l'avocat Robert Cliche.
38. Jean-Guy Pilon, poète et réalisateur à Radio-Canada; longtemps directeur de la revue *Liberté*. Correspondant du *Devoir* à Paris un certain temps.

39. Claude Lyse Gagnon, journaliste.
40. Gérald Godin avait un dériveur 420 et faisait de la voile sur le lac des Deux-Montagnes.
41. Marthe Mercure, dramaturge, professeur de théâtre, directrice artistique de l'Atelier-studio Kaléidoscope.
42. L'Égrégore, théâtre d'avant-garde montréalais, fondé en 1959 par Françoise Berd.
43. Parti socialiste du Québec, 1963-1968.
44. John Coltrane, célèbre saxophoniste.
45. Jean-Luc Godard, cinéaste : À bout de souffle, 1959.
46. Au nom de la revue Parti pris.
47. Françoise Lô, agente de Pauline Julien en Europe.
48. Denise Marsan, première compagne du poète Roland Giguère.
49. Jacques Ferron, médecin et écrivain.
50. Pierre Maheu, écrivain.
51. Élyse Pouliot, agente de Pauline Julien.
52. Marie-Hélène Guay, nièce de Pauline Julien.
53. Léon Bellefleur, peintre.
54. Fabienne Guay, sœur de Pauline Julien, épouse de Jean-Paul Guay.
55. Épouse du peintre Léon Bellefleur.
56. Bernard Jasmin, professeur et directeur d'école.
57. Tête de l'art, cabaret parisien.
58. Arthur Lamothe, cinéaste québécois, avec qui G. Godin a travaillé à un scénario autour de la figure du poète Émile Nelligan.
59. Alphonse Piché, poète.
60. Catherine Sauvage, chanteuse.
61. Roger Coggio, comédien.
62. Le comédien Jacques Galipeau, père des enfants de Pauline Julien.
63. Alain Grandbois, poète et grand voyageur.
64. Magazine d'actualité Aujourd'hui, à Radio-Canada.
65. L'île Bonaventure en Gaspésie, au large de Percé.
66. Chanson de l'auteur-compositeur interprète Claude Léveillée.

67. Ville de Pologne où se déroule le Festival international de la chanson.
68. Le chat de la maison.
69. Pierre Juneau, alors directeur de la section francophone de l'ONF (Office national du film du Canada).
70. Le cinéaste Michel Brault, auteur du film *Les Ordres*.
71. Wilfrid Lemoyne, écrivain et animateur à Radio-Canada.
72. Gérard Tremblay, peintre et graveur québécois.
73. Philippe Scrive, sculpteur, et Françoise Staar, artiste peintre.
74. Le cinéaste Denys Arcand, auteur notamment du *Déclin de l'empire américain*.
75. Heidi Beneult, amie suisse.
76. *Les bons débarras*, film de Francis Mankiewicz d'après un scénario de Réjean Ducharme.
77. Jacques Berque, intellectuel indépendantiste.
78. Le journaliste et chroniqueur français Philippe Meyer.
79. Brigitte Sauriol, cinéaste, amie de Pauline Julien.
80. Jean-Maurice Dehousse, homme politique wallon.
81. *La Manic*, populaire chanson du poète et chansonier Georges Dor.
82. Henri Mordant, journaliste et homme politique belge.
83. Lucien Outers, homme politique belge et militant wallon.
84. Médicament pour soulager les crises d'épilepsie.
85. Maison de la rue Pontiac, sur le Plateau-Mont-Royal, où P. Julien et G. Godin ont emménagé en juillet 1986.
86. Maison de campagne de P. Julien et G. Godin dans les Cantons-de-l'Est.
87. L'artiste québécois Jean Benoît, plasticien surréaliste.
88. Signe astrologique de Gérald Godin.
89. Fils de leur ami Philippe Scrive.
90. Gordon Sheppard, cinéaste et photographe, grand ami de Gérald Godin.
91. Denise Boucher, journaliste et écrivaine.
92. Louise Latraverse, comédienne.
93. Rénald Savoie, journaliste.

94. Réjean Ducharme, romancier, auteur de *L'avalée des avalées*.
95. Marcel Rioux, professeur et sociologue engagé.
96. Marie Bernier, petite-fille de Pauline Julien.
97. Jérôme Proulx, député et ami de Gérald Godin.
98. André Escogido, sociologue, proche de Gérald Godin.
99. L'écrivaine Madeleine Ferron et Jean Simon.
100. Christiane Zham, ex-épouse de Bernard Vanier.
101. Nicolas Galipeau, fils de Pauline Julien.
102. Lise Hénault et Lise Beaudouin.
103. Jacqueline Abraham, pianiste-concertiste.
104. Yolande Michaud, amie de de la maison.
105. Édition préparée par André Gervais, L'Hexagone, 1993.
106. Alan Glass, artiste surréaliste québécois vivant à Mexico. Dans ses lettres, Gérald emploie Allen, Alen ou Alan ; nous avons opté pour le nom d'artiste.
107. La comédienne Kim Yaroshevskaya.
108. Lucienne Guay, magicienne des fourneaux chez Pauline Julien.
109. Fabienne Julien et Jean-Paul Guay, sœur et beau-frère de Pauline Julien.

OUVRAGE RÉALISÉ PAR
LUC JACQUES, TYPOGRAPHE
ACHEVÉ D'IMPRIMER
EN SEPTEMBRE 2009
SUR LES PRESSES DE
MARQUIS IMPRIMEUR INC.
POUR LE COMPTE DE
LEMÉAC ÉDITEUR, MONTRÉAL

DÉPÔT LÉGAL
1re ÉDITION: 3e TRIMESTRE 2009
(ÉD. 01 / IMP. 01)